Answers: P.1 —

C000136257

Section One

Types of Number P.1

Q1 4

Q2 -3 °C

Q3 **a)** the third cube number (27)
b) 2 and 3

Q4 **a)** 17, 19, 23, 29
b) 81, 121, 169, 225
c) 15, 21, 28, 36

Q5 **a)** 2
b) e.g. 29
c) 19
d) 19 and 2
e) e.g. 1 or 25

Q6 **a)**

1	②	③	4	⑤	6	⑦	8	9	10
⑪	12	⑬	14	15	16	⑰	18	⑲	20
21	22	㉓	24	25	26	27	28	㉙	30
㉛	32	33	34	35	36	㉗	38	39	40
㊶	42	㊸	44	45	46	㊼	48	49	50
51	52	㉝	54	55	56	57	58	㊙	60
㊶	62	63	64	65	66	㊼	68	69	70
㉘	72	㉝	74	75	76	77	78	㉚	80
81	82	㊈	84	85	86	87	88	㊥	90
91	92	93	94	95	96	㊙	98	99	100

b) 3 of: 11 (11), 13 (31), 17 (71), 37 (73), 79 (97)
c) e.g. 3 is a factor of 27

Q7 293

Q8 There's just one: 2 is the only even prime.

Multiples, Factors and Primes P.2-P.3

Q1 **a)** 12
b) 3
c) 1, 9
d) 1, 3, 9
e) P = 12, Q = 6

Q2 The Conversational French and Woodturning classes both have a prime number of pupils and so cannot be divided into equal groups.

Q3 **a)** 1, 8, 27, 64, 125
b) 8, 64
c) 27
d) 8, 64
e) 125

Q4 **a)** 2×3^2
b) $2^2 \times 5 \times 7$
c) 47

Q5 **a)** 2, 3, 5, 7, 11
b) 28
c) $2^2 \times 7$

Q6 **a)** 1, 3, 5, 7, 9
b) 25
c) 5^2

Q7 **a)** 495
b) $3 \times 5 \times 11$

Q8 **a)** 1, 3, 6, 10, 15, 21, 28, 36, 45, 55
b) 6, 10, 28, 36
c) 3, 6, 15, 21, 36, 45
d) 3
e) Total = 220 = $2^2 \times 5 \times 11$

Q9 **a)** $50 \times 25 \times 16 = 20,000 \text{ cm}^3$
b) $2^5 \times 5^4$
c) 200. It is not enough to divide the large volume by the smaller volume as the shapes of the blocks are important too. It is possible to fit 16 ÷ 4 = 4 small blocks across the width, 50 ÷ 5 = 10 small blocks along the length and 25 ÷ 5 = 5 small blocks down the height of the large block. This enables Gordon to fit 4 × 10 × 5 = 200 small blocks into the big block.

Q10 **a)** 680
b) $2^2 \times 5 \times 17$
c) $2 \times 5 \times 17$
d) 5×17

Q11 42

LCM and HCF P.4

Q1 **a)** 6, 12, 18, 24, 30, 36, 42, 48, 54, 60
b) 5, 10, 15, 20, 25, 30, 35, 40, 45, 50
c) 30

Q2 **a)** 1, 2, 3, 5, 6, 10, 15, 30
b) 1, 2, 3, 4, 6, 8, 12, 16, 24, 48
c) 6

Q3 **a)** 20
b) 10
c) 2
d) 15
e) 15
f) 5
g) 32
h) 16
i) 16

Q4 **a)** 120
b) 120
c) 120
d) 45
e) 90
f) 180
g) 64
h) 192
i) 192

Q5 **a)** 7th June
b) 16th June
c) Sunday (1st July)
d) Lars

Q1 **a)** 25%
b) 50%
c) 75%
d) 10%
e) 41.52%
f) 84.06%
g) 39.62%
h) 28.28%

Q2 **a)** 0.5
b) 0.12
c) 0.4
d) 0.34
e) 0.602
f) 0.549
g) 0.431
h) 0.788

Q3 **a)** 50%
b) 25%
c) 12.5%
d) 75%
e) 4%
f) 66.7%
g) 26.7%
h) 28.6%

Q4 **a)** 1/4
b) 3/5
c) 9/20
d) 3/10
e) 41/500
f) 62/125
g) 443/500
h) 81/250

Q5 85%

Q6 65%

Q7 **a)** 0.3   **e)** 1.75
b) 0.37   **f)** 0.125
c) 0.4   **g)** 0.6
d) 0.375   **h)** 0.05

Q8

Fraction	Decimal
$\frac{1}{2}$	0.5
$\frac{1}{5}$	0.2
$\frac{1}{8}$	0.125
$\frac{8}{5}$	1.6
$\frac{4}{16}$	0.25
$\frac{7}{2}$	3.5
$\frac{x}{10}$	0.x
$\frac{x}{100}$	0.0x
$\frac{3}{20}$	0.15
$\frac{9}{20}$	0.45

Q9 **a)** $0.8\dot{3}$ **e)** $0.\dot{9}\dot{0}$
b) $0.\dot{7}$ **f)** $0.8\dot{7}$
c) $0.6\dot{3}$ **g)** $0.4\dot{7}\dot{8}$
d) $0.4\dot{7}$ **h)** $0.\dot{5}89\dot{1}$

Answers: P.7 — P.14

Q10 a) $\frac{3}{5}$ **e)** $\frac{1}{3}$

b) $\frac{3}{4}$ **f)** $\frac{2}{3}$

c) $\frac{19}{20}$ **g)** $\frac{1}{9}$

d) $\frac{16}{125}$ **h)** $\frac{1}{6}$

Q11 a) $\frac{2}{9}$ **e)** $\frac{4}{33}$

b) $\frac{4}{9}$ **f)** $\frac{545}{999}$

c) $\frac{8}{9}$ **g)** $\frac{251}{333}$

d) $\frac{80}{99}$ **h)** $\frac{52}{333}$

Fractions P.7-P.9

Q1 a) $\frac{1}{64}$

b) $\frac{1}{9}$

c) $\frac{1}{18}$

d) $3\frac{29}{32}$

e) $5\frac{5}{32}$

f) $\frac{81}{100\,000}$

Q2 a) 1
b) 4

c) $\frac{1}{2}$

d) $\frac{2}{5}$

e) $\frac{10}{33}$

f) 1000

Q3 a) $\frac{1}{4}$

b) $\frac{5}{6}$

c) $\frac{1}{2}$

d) $4\frac{3}{8}$

e) $5\frac{3}{8}$

f) 1

Q4 a) 0

b) $\frac{1}{2}$

c) $-\frac{1}{6}$

d) $1\frac{7}{8}$

e) $-3\frac{1}{8}$

f) $\frac{4}{5}$

Q5 a) $\frac{3}{4}$

b) $\frac{5}{12}$

c) $\frac{7}{15}$

d) $4\frac{3}{4}$

e) 4

f) $1\frac{1}{5}$

g) $\frac{5}{8}$

h) $-\frac{1}{24}$

i) $4\frac{3}{5}$

j) $1\frac{1}{30}$

k) 1

l) $\frac{44}{75}$

Q6 a) 1/12
b) 1/4
c) 2/3

Q7 a) 3/4 of the programme
b) 5/8 of the programme
c) 1/8 of the programme

Q8 3/5 of the kitchen staff are girls.
2/5 of the employees are boys.

Q9 7/30 of those asked had no opinion.

Q10 a) 2/5
b) 6

Q11 a) 16 sandwiches
b) 25 inches tall

Q12 a) $\frac{1}{18}$

b) $\frac{1}{4}$

Q13 a) 48 km^2

b) $\frac{5}{8}$

Q14 a) 8 people

b) $\frac{7}{20}$

c) $\frac{1}{4}$

d) 57 people
e) 65 people

Q15 After the 1st bounce the ball reaches 4 m, after the 2nd $2\frac{2}{3}$ m, after the 3rd $1\frac{7}{9}$ m.

Q16 a) 100 g flour
b) 350 g

c) $\frac{2}{7}$

d) 300 g

Ratios P.10-P.11

Q1 a) 3:4   **d)** 9:16
b) 1:4   **e)** 7:2
c) 1:2   **f)** 9:1

Q2 a) 6 cm   **d)** 1.5 cm
b) 11 cm   **e)** 2.75 cm
c) 30.4 m   **f)** 7.6 m

Q3 a) £8, £12
b) 80 m, 70 m
c) 100 g, 200 g, 200 g.
d) 1hr 20 m, 2 hr 40 m, 4 hrs.

Q4 a) £4.80   **b)** 80 cm

Q5 John 4, Peter 12

Q6 400 ml, 600 ml, 1000 ml

Q7 30

Q8 Jane £40, Paul £48, Rosemary £12

Q9 a) 250/500 = 1/2
b) 150/500 = 3/10

Q10 a) 245 girls   **b)** 210 boys

Q11 a) 1:300
b) 6 m
c) 3.3 cm

Q12 a) 15 kg
b) 30 kg
c) 8 kg cement, 24 kg sand and 48 kg gravel.

Q13 a) 30 fine
b) 15 not fine
c) 30/45 = 2/3

Q14 a) 45 Salt & Vinegar
b) 90 bags sold altogether

Percentages P.12-P.14

Q1 a) 0.2   **c)** 0.02
b) 0.35   **d)** 0.625

Q2 a) $\frac{1}{5}$ **c)** $\frac{7}{10}$

b) $\frac{3}{100}$ **d)** $\frac{421}{500}$

Q3 a) 12.5%   **c)** 30%
b) 23%   **d)** 34%

Q4 85%

Q5 72.5%

Q6 £351.33

Q7 £244.40

Q8 a) £5025   **b)** £8040

Q9 a) £5980   **b)** £5501.60

Q10 £152.75, So NO, he couldn't afford it.

Q11 31%

Q12 13%

Q13 1.6%

Q14 500%

Q15 a) 67.7%   **c)** 38.1%
b) 93.5%

Q16 a) £236.25
b) £1000 × 1.07^3 − £1000 = £225.04
c) £1000 × 1.07875^3 − £1000 = £255.34

Q17 38%

Q18 £80

Q19 a) 300   **b)** 4 whole years

Answers: P.15 — P.21

Manipulating Surds and Use of π P.15-P.16

Q1 e.g. 3, $3\frac{1}{2}$, 4 are all rational and $\sqrt{6}$, $\sqrt{7}$, $\sqrt{8}$ are all irrational.

Q2 a) e.g. $x = 2$
b) e.g. $x = 4$

Q3 a) irrational
b) rational
c) irrational
d) rational

Q4 a) $\sqrt{2} \times \sqrt{8}$, $(\sqrt{5})^6$, 0.4, $40 - 2^{-1} - 4^{-2}$, $49^{-\frac{1}{2}}$

b) $\frac{\sqrt{3}}{\sqrt{2}}$, $(\sqrt{7})^3$, 6π, $\sqrt{5} - 2.1$, $\sqrt{6} + 6$

Q5 a) rational
b) irrational
c) rational

Q6 e.g. $x = \sqrt{18}$, $y = \sqrt{2}$ gives $\frac{x}{y} = \sqrt{9} = 3$.

Q7 a) e.g. 1.5
b) e.g. $\sqrt{2}$
c) As P is rational, let $P = \frac{a}{b}$ where a and b are integers. $\frac{1}{P} = \frac{b}{a}$ which is rational.

Q8 a) $xyz = 4\sqrt{6}$, irrational
b) $(xyz)^2 = 96$, rational
c) $x + yz = 2 + 2\sqrt{6}$, irrational
d) $\frac{yz}{2\sqrt{3}x} = \frac{2\sqrt{6}}{2\sqrt{6}} = 1$, rational

Q9 3π cm²

Q10 a) $\sqrt{15}$
b) 2
c) 1
d) 2½
e) x
f) x
g) 8
h) $3[\sqrt{2} - 1]$

Q11 a) $(1 + \sqrt{5})(1 - \sqrt{5}) = -4$, rational
b) $\frac{1+\sqrt{5}}{1-\sqrt{5}} = -\frac{1}{2}(3 + \sqrt{5})$, irrational

Q12 a) $(x + y)(x - y) = -1$, rational
b) $\frac{x+y}{x-y} = -3 - 2\sqrt{2}$, irrational

Q13 a) $\frac{\sqrt{2}}{2}$
b) $\frac{\sqrt{2}}{2}$
c) $\frac{\sqrt{10}a}{10}$
d) $\frac{\sqrt{xy}}{y}$
e) $\sqrt{2} - 1$
f) $3 - \sqrt{3}$
g) $\frac{2[\sqrt{6} - 1]}{5}$
h) $\frac{3 + \sqrt{5}}{2}$

Rounding Numbers P.17-P.18

Q1 a) 62.2
b) 62.19
c) 62.194
d) 19.62433
e) 6.300
f) 3.142

Q2 a) 1330
b) 1330
c) 1329.6
d) 100
e) 0.02
f) 0.02469

Q3 a) 457.0
b) 456.99
c) 456.987
d) 457
e) 460
f) 500

Q4 2.83

Q5 a) 0.704 (to 3 s.f. — the least number of significant figures used in the question).
b) 3.25 (to 3 s.f. — the least number of significant figures used in the question).

Q6 23 kg
Q7 £5.07
Q8 235 miles
Q9 £4.77
Q10 235 cm
Q11 4.5 m to 5.5 m
Q12 a) 142.465 kg
b) 142.455 kg

Q13 a) Perimeter = 2(12 + 4) = 32 cm.
Maximum possible error = 4 × 0.1 cm = 0.4 cm.
b) Maximum possible error in P is 2(x + y).

Accuracy and Estimating P.19-P.21

Q1 a) 807.87 m²
b) 808 m²
c) Answer **b)** is more reasonable.

Q2 a) 80872 kg
b) 3.9 miles
c) 1.56 m
d) 150 kg
e) 6 buses
f) 12 ºC

Q3 a) 43 g
b) 7.22 m
c) 3.429 g
d) 1.1 litres
e) 0.54 (or 0.5) miles
f) 28.4 miles per gallon

Q4 a) 0.721 (to 3 sf)
b) 3.73 (to 3 sf)

Q5 a) $6500 \times 2 = 13\ 000$
b) $8000 \times 1.5 = 12\ 000$
c) $40 \times 1.5 \times 5 = 300$
d) $45 \div 9 = 5$
e) $35\ 000 \div 7000 = 5$
f) $\frac{55 \times 20}{10} = 55 \times 2 = 110$
g) $7000 \times 2 = 14\ 000$
h) $100 \times 2.5 \times 2 = 500$
i) $20 \times 20 \times 20 = 8000$
j) $8000 \div 80 = 100$
k) $62\ 000 \div 1000 = 62$
l) $3 \div 3 = 1$

Q6

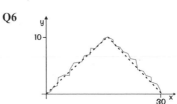

Area under the graph ≈ area of triangle $= \frac{1}{2} \times 30 \times 10 = 150$

Q7 a) $4 \times 7 = 28$ days
b) $14\ 634 \div 28 = 522.6$ tins
c) $15\ 000 \div 30 = 1500 \div 3 = 500$ tins

Q8 a) $3 = 3.0000000$, $\frac{22}{7} = 3.1428571$, $\sqrt{10} = 3.1622777$, $\frac{255}{81} = 3.1481481$, $3\frac{17}{120} = 3.1416667$
b) $3\frac{17}{120}$ is the most accurate of these estimates.

Q9 a) $\frac{150 + 50}{150 - 50} = \frac{200}{100} = 2$
b) $\frac{20 \times 10}{\sqrt{400}} = \frac{200}{20} = 10$
c) $\frac{2000 \times 4}{20 \times 5} = \frac{8000}{100} = 80$
d) $\frac{10^2 \div 10}{4 \times 5} = \frac{10}{20} = 0.5$

Q10 a) 25 cm × 40 cm = 1000 cm².
b) 5 km × 3 km = 15 km².

Q11 a) $3 \times 2^2 \times 9 = 108$ cm³
b) $3 \times 5^2 \times 22 = 1650$ cm³

Q12 a) 20.1 (accept 20.0 or 20.2)
b) 16.4 (accept 16.3 or 16.5)
c) 15.8 (accept 15.7 or 15.9)
d) 19.4 (accept 19.3 or 19.5)
e) 19.8 (accept 19.7 or 19.9)

Q13 a) 6.9 (accept 6.8)
b) 10.9 (accept 10.8)
c) 9.2 (accept 9.1)
d) 4.1 (accept 4.2)
e) 9.9 (accept 9.8)
f) 5.8 (accept 5.9)

Q14 a) 6.4 (accept 6.3 or 6.5)
   b) 14.1 (accept 14.0 or 14.2)
   c) 5.5 (accept 5.4 or 5.6)
   d) 12.2 (accept 12.1 or 12.3)
   e) 13.4 (accept 13.3 or 13.5)
   f) 11.8 (accept 11.7 or 11.9)

Upper Bounds and Reciprocals P.22-P.23

Q1 a) 64.785 kg
  b) 64.775 kg

Q2 a) 1.75 m
  b) $1.85 \times 0.75 = 1.3875$ m²

Q3 a) 95 g
  b) Upper bound = 97.5 g, lower bound = 92.5 g.
  c) No, since the lower bound for the electronic scales is 97.5 g, which is greater than the upper bound for the scales in part **a)**.

Q4 a) Upper bound = 945, lower bound = 935.
  b) Upper bound = 5.565, lower bound = 5.555.
  c) To find the upper bound for R, divide the upper bound for S by the lower bound for T; 945÷5.555 = 170.117...
To find the lower bound for R, divide the lower bound for S by the upper bound for T; 935÷5.565 = 168.014...
  d) 940÷5.56 = 170 (to 2 s.f., the least number of significant figures used in the question).

Q5 a) Upper bound = 13.5, lower bound = 12.5
  b) Upper bound = 12.55, lower bound = 12.45
  c) To calculate the upper bound for C multiply the upper bound for A by the upper bound for B; 13.5×12.55 = 169.425
To calculate the lower bound for C multiply the lower bound for A by the lower bound for B; 12.5×12.45 = 155.625

Q6 The upper bound for the distance is 100.5 m. The lower bound for the time is 10.25 s. Therefore the maximum value of Vince's average speed is 100.5÷10.25 = 9.805 m/s.

Q7 The upper bound for the distance is 127.5 km. The lower bound for the time is 1 hour and 45 minutes = 1.75 hours. The maximum value of the average speed is 127.5÷1.75 = 72.857... km/hour.

Q8 a) Upper bound = 5 minutes 32.5 seconds, lower bound = 5 minutes 27.5 seconds.
  b) The lower bound for Jimmy's time is 5 minutes 25 seconds, which is lower than the lower bound for Douglas' time (5 minutes 25.5 seconds).

Q9 a) $\frac{1}{7}$ **c)** $\frac{8}{3}$
  b) $\frac{1}{12}$ **d)** -2

Q10 a) $0.08\dot{3}$ **c)** 0.318
   b) 0.707   **d)** 125

Conversion Factors and Metric & Imperial Units P.24-P.26

Q1 a) 200 cm   **m)** 72 in
  b) 33 mm   **n)** 80 oz
  c) 4000 g   **o)** 100 yd 1 ft
  d) 0.6 kg   **p)** 6000 mm
  e) 48 in   **q)** 2000 kg
  f) 3 ft   **r)** 3 kg
  g) 7 ft 3 in   **s)** 86 mm
  h) 2 lb 11 oz   **t)** 42 in
  i) 0.65 km   **u)** 71 oz
  j) 9000 g   **v)** 0.55 tonnes
  k) 0.007 kg   **w)** 354 cm
  l) 0.95 lb   **x)** 7 mm

Q2 147 kg × $2\frac{1}{4}$ = 330.8 lbs (1 d.p.)

Q3 14 gallons = 14 × 4.5 = 63 litres

Q4 9 stone 4 lbs = $9 + \frac{4}{14}$ = 9.286 st.
= 9.286 ÷ 0.157 = 59.1 kg

Q5 7 tonnes is approximately equal to 7 tons.

Q6 Barry cycled 30 miles = 30 × 1.6 = 48 km. So Barbara cycled furthest.

Q7 a) 11 in = 11 × 2.5 = 27.5 cm
  b) 275 mm

Q8 a) 21 feet = 21 × 12 = 252 in
  b) 21 feet = 21 ÷ 3 = 7 yd
  c) 21 feet = 21 × 0.3 = 6.3 m
  d) 6.3 m = 630 cm
  e) 630 cm = 6300 mm
  f) 6.3 m = 0.0063 km

Q9 5 lb = 5 ÷ $2\frac{1}{4}$ = 2.2 kg. So Dick needs to buy <u>3 bags</u> of sugar.

Q10 a) £148.65   **g)** £81.50
   b) £62.19   **h)** £13.51
   c) £679.18   **i)** £272.65
   d) £100   **j)** £307.25
   e) £1.36   **k)** £408.16
   f) £795.92   **l)** £0.68

Q11 a) 60 kg = 60 × $2\frac{1}{4}$ = 135 lbs
   b) 135 lbs = 135 × 16 = 2160 oz.
   c) 0.059 t = 59 kg, so Arnold can lift most.

Q12 a) 20 000 cm = 200 m
   b) 200 000 cm = 2000 m = 2 km
   c) 700 000 cm = 7000 m = 7 km
   d) 200 000 000 cm² = 20 000 m² = 0.02 km²

Q13 a) 1.67 m
   b) 33.3 cm
   c) 0.33 cm × 0.33 cm = 0.11 cm²
   d) 0.056 cm²

Q14 At $5.76 for 2 pints, the cost per litre
is $\frac{\$5.76}{2\text{ pints}} = \frac{\frac{5.76}{1.42}}{2\times0.568} = £3.57$ per litre.
So 2 pints for $5.76 is cheaper.

Q15 1 m = 1.1 yards, so 1 m² = (1.1 yd)² = 1.21 yd².
£10.80 per sq. m = £10.80 ÷ 1.21 = £8.93 per sq. yard.
So the fabric superstore is cheaper.

Q16 a) 5.00 am
   b) 2.48 pm
   c) 3.16 am
   d) 3.58 pm
   e) 10.30 pm
   f) 12.01 am

Q17 a) 2330
   b) 1022
   c) 0015
   d) 1215
   e) 0830
   f) 1645

Q18 a) 8 hours
   b) 10 hours
   c) 11 hours 56 minutes
   d) 47 hours 48 minutes

Q19 a) 3 hours 15 minutes
   b) 24 minutes
   c) 7 hours 18 minutes
   d) 1 hour 12 minutes

Q20 a) $2\frac{1}{3}$ hours
   b) 3.1 hours
   c) $\frac{1}{3}$ of an hour

Formula Triangles P.27

Q1

a) A = 4.5 × 6 = 27 cm²
b) h = 26/2 = 13 cm
c) b/2 = 49/3.5 = 14
so b = 28 cm

Q2

a) g = 2/10 =1/5
b) h = 18 × 1/6 = 3 m
c) l = 3 ÷ 2/3 = 4.5 m

Answers: P.28 — P.34

Q3

a) c = π × 72 = 226 cm (to nearest cm)
b) d = 21/π = 6.7 cm (to 1 d.p.)
c) d = 2r = 250/π = 79.6
r = 39.8 cm (to 1 d.p.)

Q4

a) L = 120/8 = 15
b) Q = 408/24 = 17
c) S = 0

Speed, Distance and Time P.28-P.29

Q1 60 km/h

Q2 165 miles

Q3 2 hours 40 minutes

Q4

Distance Travelled	Time taken	Average Speed
210 km	3 hrs	70 km/h
135 miles	4 hrs 30 mins	30 mph
105 km	2 hrs 30 mins	42 km/h
9 miles	45 mins	12 mph
640 km	48 mins	800 km/h
70 miles	1 hr 10 mins	60 mph

Q5 a) 100/11 = 9.09 m/s (to 2d.p)
b) 32.73 km/h

Q6 7 minutes to go 63 miles so 540 mph.

Q7 $\frac{280}{63} = 4\frac{4}{9}$ hours = 4.444 hrs
07.05 to 10.30 is 3 hrs 25 mins. Journey takes over 4 hours so NO.

Q8 a) 98.9 mph (to 3 s.f.)
b) 72.56 seconds
c) 99.2 mph (to 3 s.f.)

Q9 a) 2.77 + 1.96 + 0.6 = 5.33 hrs (to 3 s.f.) = 5 hours 20 mins
b) 250 miles
c) 46.9 mph (to 3 s.f.)

Q10 a) 2.23 hrs (2 hrs 14 mins)
b) 1 hr 49 mins + 10 mins = 1 hr 59 mins
c) 1346 and 1401

Q11 The first athlete ran at 16000 ÷ (60 × 60) = 4.44 m/s, so was faster than the second athlete (at 4 m/s). The first athlete would take 37.5 mins to run 10 km; the second would take 41.7 mins.

Q12 a) 487.5 km
b) 920.8 km
c) 497 km/h

Q13 a) 8.13 m/s
b) 7.30 m/s

Q14 a) 220 km
b) 5 mins

Q15 180 m at 42 mph takes 4hrs 17 mins. 180 m at 64 mph takes 2 hrs 49 mins. So it stops for 1 hr 28 mins.

Q16 a) 4.8 m/s
b) 14.4 m/s
c) 14.4 m/s
d) 17.3 km/h, 51.8 km/h, 51.8 km/h.

Q17 2.05 mins, 2.07 mins, 2.13 mins.

Density P.30

Q1 a) 0.75 g/cm³
b) 0.6 g/cm³
c) 0.8 g/cm³
d) 700 kg/m³ = 0.7 g/cm³

Q2 a) 62.4 g
b) 96 g
c) 3744 g (3.744 kg)
d) 75 g

Q3 a) 625 cm³
b) 89.3 cm³ (to 3 s.f.)
c) 27778 cm³ (27800 to 3 s.f.)
d) 2500 cm³

Q4 34.71 g

Q5 20968 cm³

Q6 Vol. = 5000 cm³ = 5 litres

Q7 1.05 g/cm³

Q8 SR flour 1.16 g/cm³
Granary flour 1.19 g/cm³

Calculator Buttons P.31-P.32

Q1 a) 1   f) 900
b) 4   g) 25
c) 121   h) 1 000 000
d) 256   i) 0
e) 1

Q2 a) 4   f) 20
b) 6   g) 1.732 (to 3 d.p.)
c) 17   h) 2.646 (to 3 d.p.)
d) 0   i) 5.477 (to 3 d.p.)
e) 60

Q3 a) 1   e) 3
b) 0   f) –3
c) 7   g) –4
d) 10   h) –1.710 (to 3 d.p.)

Q4 a) 8.4   d) 3.403 (3 d.p)
b) 0.00172   e) 0.874 (3 d.p)
(3 s.f.)
c) 0.656 (3 d.p) f) 1.174 (3 d.p)

Q5 a) 2   d) 29.867 (3 d.p.)
b) 1   e) 0.353 (3 d.p.)
c) 0.333 (3 d.p.) f) 0.0729 (3 s.f.)

Q6 a) 1   f) 59 049
b) 1 048 576   g) 0.487 (3 d.p.)
c) 1 048 576   h) 26 742 (5 s.f.)
d) 9.870 (3 d.p.) i) 0.25
e) 0.5

Q7 a) 4000
b) 10000
c) 620000

Q8 a) 4   d) 0.05
b) 0.2   e) 0.02
c) 2   f) 400

Sequences P.33-P.34

Q1 a) 9, 11, 13, add 2 each time
b) 32, 64, 128, multiply by 2 each time
c) 30000, 300000, 3000000, multiply by 10 each time
d) 19, 23, 27, add 4 each time
e) -6, -11, -16, take 5 off each time

Q2 a) 4, 7, 10, 13, 16
b) 3, 8, 13, 18, 23
c) 1, 4, 9, 16, 25
d) -2, 1, 6, 13, 22

Q3 a) 2n
b) 2n – 1
c) 5n
d) 3n + 2

Q4 a) 19, 22, 25, 3n + 4
b) 32, 37, 42, 5n + 7
c) 46, 56, 66, 10n – 4
d) 82, 89, 96, 7n + 47

Q5 a) $16\frac{7}{8}$, $16\frac{9}{16}$, $16\frac{23}{32}$, $16\frac{41}{64}$
b) The 10th term will be the mean of the 8th and 9th.

Q6 a) The groups have 3, 8 and 15 triangles.
b) 24, 35, 48
c) $(n + 1)^2 - 1$

Q7 a) 23, 30, 38, $\frac{1}{2}(n^2 + 3n + 6)$
b) 30, 41, 54, $n^2 + 5$
c) 45, 64, 87, $2n^2 - 3n + 10$
d) 52, 69, 89, $\frac{1}{2}(3n^2 + n + 24)$
e) 9, 3, 1, 3^{7-n}
f) 50, 10, 2, $2 \times 5^{7-n}$
g) 48, 12, 3, $3 \times 4^{7-n}$
h) 63, 21, 7, $7 \times 3^{7-n}$

Q8 a) $\frac{(2n+1)^2 + 1}{2}$
b) $\frac{(2n+1)^2 - 1}{2}$ c) $(2n+1)^2$

Answers: P.35 — P.40

Section Two

Symmetry P.35-P.37

Q1
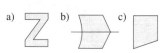
a) b) c)
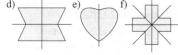
d) e) f)

Q2 a) 6   b) 8   c) 5   d) 3

Q3

1   2   1   1
Order of Rotation
1   1   2   2

Q4 a)

Order of Rotation = 3

b)

Order of Rotation = 1

c)

Order of Rotation = 2

d)

Order of Rotation = 1

e)

Order of Rotation = 8

f)

Order of Rotation = 2

Q5 E.g.

Q6 No

Q7 Four. Three like this:

and one through its middle:

Q8 Infinitely many.

Q9 No

Q10 One of the following:

Q11 6

Q12 d) A tetrahedron

Q13 Two. One along the middle of it's length and the other perpendicular to that.

Q14 A point

Q15 a) Two, one longitudinal and one perpendicular to that.
b) 90º
c) They meet in a line.

Q16 a) 4
b) Yes it is true.

Perimeters and Areas P.38-P.39

Q1 Area 24 cm², perimeter 20 cm

Q2 Area 25 cm², perimeter 20 cm

Q3 a) Perimeter = $10 + 10 + (½ \times \pi \times 20)$ $+ 10 + 10 + 40 + (½ \times \pi \times 40) +$ $40 = 120 + 30\pi = 214.25$ cm.
b) Area = $(40 \times 40) - (10 \times 20 + ½ \times \pi \times 10^2) + ½ \times \pi \times 20^2$
$= 1600 - 357.08 + 628.32$
$= 1871$ cm².

Q4 a) l = 24, w = 12, area = 288 m²
b) 1 Carpet tile = $0.50 \times 0.50 = 0.25$ m²
So 288 m² ÷ 0.25 = 1152 tiles are required.
c) £4.99 per m² => £4.99 for 4 tiles
Total cost = $(1152 \div 4) \times 4.99$
= £1437.12

Q5 Area = 120 cm²

Q6 6 squares @ 0.6 m × 0.6 m = 0.36 m².
Total area of material =
$6 \times 0.36 = 2.16$ m².

Q7 a) $\sqrt{9000}$ = 94.87 m.
b) Perimeter = 4 × 94.87
= 379.48 m (2 dp)
(379.47 m if you use $4 \times \sqrt{9000}$).

Q8 48 ÷ 5 = 9.6 m length. Area of 1 roll = 11 m × 0.5 m = 5.5 m².
48 m² ÷ 5.5 m² = $8\frac{8}{11}$ rolls of turf required. Of course 9 should be ordered.

Q9 Base length = 4773 ÷ 43 = 111 mm.

Q10 Area of metal blade = ½ × 35 × (70 + 155) = 3937.5 mm²

Q11 Area of larger triangle = ½ × 14.4 × 10 = 72 cm².
Area of inner triangle = ½ × 5.76 × 4 = 11.52 cm².
Area of metal used for a bracket = 72 – 11.52 = 60.48 cm².

Q12 T_1: ½ × 8 × 16 = 64 m²
Tr_1: ½ × 8 × (8 + 16) = 96 m²
Tr_2: ½ × 4 × (8 + 12) = 40 m²
T_2: ½ × 8 × 12 = 48 m²
Total area of glass sculpture = 248 m²

Q13 Area = ½ × 8.2 × 4.1 = 16.81 m²
Perimeter = 10.8 + 4.5 + 8.2
= 23.5 m.

Q14 a) Area of each isosceles triangle = ½ × 2.3 × 3.2 = 3.68 m²
b) Area of each side =
$(\sqrt{3.2^2 + 1.15^2}\ ) \times 4 = 13.6$ m²
Groundsheet = 2.3 × 4 = 9.2 m²
c) Total material = 2 × 3.68 + 9.2 + 2 × 13.6 = 43.8 m²

Q15
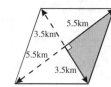
Area = ½ × product of diagonals = ½ × 7 × 11 = 38.5 km².

Solids and Nets P.40-P.41

Q1
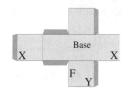

Q2
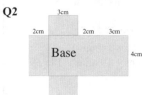
Other arrangements are possible.

Q3

Q4

Answers: P.41 — P.46

Q5 a) Rectangle.
b) AH, CF, BG.
c) DF, AG, BH.
d) HC, BE, AF.
e) 8

Q6 a) 1
b) 1

Q7 a) 12
b) 7
c) 7

Q8 a) H, F and D
b) Line symmetry through lines AF, DH, BG and CE. Rotational symmetry of order 4.
c) 5 faces and vertices, 8 edges.

Q9 a) I
b) 64 cm²
c) 64 × 6 = 384 cm²
d)

Q10 E.g.

Q11 Net B

Q12 a) Front elevation:

 or

b) Side elevation:

 or

c) Plan:

Surface Area and Volume P.42-P.44

Q1 a) $\frac{1}{2}\pi(0.35)^2 = 0.192$ m²
b) $0.1924 \times 3 = 0.577$ m³

Q2 a) $\pi(2)^2 \times 0.35 = 4.40$ m³
b) $\pi(2.5^2 - 2^2) = 7.07$ m²

Q3 a) Volume Cube = Volume Cylinder

$10^3 = \pi r^2 \times 10$ so $r^2 = \frac{10^2}{\pi}$,

$r = 5.64$ cm

b) S.A. of cylinder $= 2\pi rh + 2\pi r^2 =$

$2\pi \times 5.64... \times 10 + 2\pi \times (5.64...)^2$

$= 554.49$ cm².

Q4 a) $\pi(5)^2(16) = 1257$ cm³
b) $\pi(5)^2 h = 600$

$h = \frac{600}{25\pi} = 7.64$ cm

Q5 $(3)(3)(0.5) - \pi(0.7)^2(0.5) = 3.73$ cm³

Q6 a)

b)

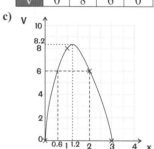

Q7 a) ½(3 + 2.5)(1.5) = 4.125 m²
b) 4.125 × 4 = 16.5 m³

Q8 a) (60)(30) + (30)(120) = 5400 cm²
b) 5400 × 100 = 540000 cm³ = 0.54 m³

Q9 a) i) B = (0, 8, 5) **ii)** D = (4, 8, 0)
b) (½ × 4 × 5) × 8 = 80 units³

Q10 a) area of rectangle = (2.5)(4) = 10
area of triangle = ½(4)(1.5)= 3
total cross-sectional area = 13 m²
b) 13 × 5 = 65 m³
c) AB² = 2² + 1.5² AB = 2.5 m
d) 2(2.5)(5) = 25 m²

Q11 a) $\frac{1}{2}(\frac{4}{3}\pi(1.3)^3) + \pi(1.3)^2 \times 1.8$

$+ \frac{1}{3}\pi(1.3)^2 \times 1.2 = 16.28$ cm³

b) Volume of sand in hemisphere and cone parts remain the same so change is in cylindrical part. Therefore $h + 0.3 = 1.8$, $h = 1.5$ cm.

c) Volume of sand transferred =

$\frac{1}{2}(\frac{4}{3}\pi(1.3)^3) + \pi(1.3)^2 \times 1.5 = 12.57$ cm³

Time Taken $= \frac{12.57}{0.05} \approx 251$ secs.

= 4 minutes 11 secs.

Q12 a) Volume of ice cream

$= \frac{1}{3}\pi(R^2H - r^2h) + \frac{1}{2}(\frac{4}{3}\pi R^3) =$

$\frac{1}{3}\pi(2.5^2 \times 10 - 1^2 \times 4)$

$+ \frac{1}{2}(\frac{4}{3}\pi \times 2.5^3)$

= 93.99 cm³ of ice cream.

---

b) Outer surface area of cone
= πRl
Using pythagoras,
$l^2 = 10^2 + 2.5^2 = 106.25$,
l = 10.3 cm. So S.A. =
π × 2.5 × 10.3 = 81.0 cm².

Q13 Vol. increase is a cylinder of height 8 cm. So vol. increase =
$\pi(5)^2 \times 8 = 628.3$ cm³.

Volume of each ball bearing $= \frac{628.3}{3200} = 0.196$ cm³

$\frac{4}{3}\pi r^3 = 0.196 \Rightarrow r = 0.361$ cm

Q14 a) $x(3 - x)(5 - x)$ m³ or $x^3 - 8x^2 + 15x$

b)

X	0	1	2	3
V	0	8	6	0

c)

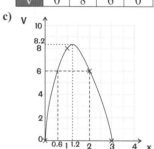

d) about 8.2 m³

e) ends 2(1.2)(1.8) = 4.32
side faces 2(1.2)(3.8) = 9.12
tops 2(3.8)(1.8) = 13.68
So area is about 27.12 m²

f) x = 2 or x = 0.6
If x = 0.6 :
ends 2(0.6)(2.4) = 2.88
side faces 2(0.6)(4.4)= 5.28
tops 2(2.4)(4.4) = 21.12
  29.28 m²
If x = 2 :
ends 2(2)(1) = 4
side faces 2(2)(3) = 12
tops 2(1)(3) = 6
  22 m²
Maximum Total S.A. ≈ 29.28 m²

Geometry P.45-P.46

Q1 a) x = 47°
b) y = 154°
c) z = 22°
d) p = 35°, q = 45°

Q2 a) a = 146°
b) m = 131°, z = 48°
c) x = 68°, p = 112°
d) s = 20°, t = 90°

Q3 a) x = 96°, p = 38°
b) a = 108°, b = 23°, c =95°
c) d =120°, e =60°, f =60°, g =120°
d) h =155°, i =77.5°, j =102.5°, k =77.5°

Answers: P.47 — P.50

Q4 a) $b = 70°$
$c = 30°$
$d = 50°$
$e = 60°$
$f = 150°$
b) $g = 21°$
$h = 71°$
$i = 80°$
$j = 38°$
$k = 92°$
c) $l = 35°$
$m = 145°$
$n = 55°$
$p = 125°$

Q5 a) $x = 162°$ $y = 18°$
b) $x = 87°$ $y = 93°$ $z = 93°$
c) $a = 30°$ $2a = 60°$ $5a = 150°$
$4a = 120°$

Q6 a) $a = 141°$, $b = 141°$, $c = 39°$,
$d = 141°$, $e = 39°$
b) $a = 47°$, $b = 47°$, $c = 133°$, $d = 43°$
$e = 43°$
c) $m = 140°$, $n = 140°$, $p = 134°$,
$q = 46°$, $r = 40°$

Regular Polygons P.47-P.48

Q1 Isosceles.

Q2

interior angle = 60°

Q3

order of rotational symmetry = 6.

Q4 a) Angles at a point sum to 360°,
hence $m + m + r = 360°$.
Angles in a pentagon sum to 540°.
We know two angles are 90°, so
we are left with 360°. The only
angles left are m, m and r so
$m + m + r$ must equal 360°.
b) r°.
c)

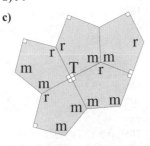

Q5 a) $90° + 60° = 150°$

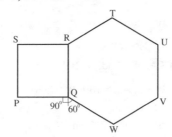

b)

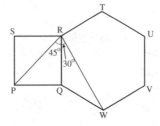

$\angle$ PRW = 75°

c) $180 - (360/n) = 150$
$180n - 360 = 150n$
$30n = 360 \Rightarrow n = 12$

Q6 $540° - (100° + 104° + 120°)$
$= 216°$ for two equal angles
$\therefore$ 1 angle = 108°

Q7 a) Interior angle = 165°
b) Exterior angle = $180° - 165° = 15°$
Sum of exterior angles = 15×24
$= 360°$

Q8 a) $\frac{360}{5} = 72°$

b) $\frac{180-72}{2} = 54°$

c) i) 90°
ii) 36°
d) 36° (angles on a straight line)

Q9 $(n - 2)180 = 2520$, $n = 16$

Q10 a) $\left(\frac{360}{5}\right) \div 2 = 36°$
b) OX = $5 \cos 36 = 4.045$. Hence
MX = $5 - 4.045 = 0.95$ cm.

Q11 a)

---

b) Angle CDE = angle DEF
$$= \frac{(8-2)180}{8} = 135$$

so angle EFC = $\frac{360 - 2(135)}{2} = 45$

or exterior angle = 45° = angle EFC,
alternate angles.

Circle Geometry P.49-P.51

Q1 a) 117.607 m²
b) 45.216 = 45 m to 2 s.f.
c) 46.5 m to 1dp.
d) 14.152 cm² to 3dp.

Q2 a) Area = area of a full circle radius 10
cm. A = $\pi r^2 = 3.14 \times 10^2 = 314$ cm².
Circumference = $\pi \times D = 3.14 \times 20$
= 62.8 cm. Perimeter = 62.8 + 20 =
82.8 cm

b) Area = (area of a full circle radius
15 cm) + (area of a rectangle 15 ×
30 cm) = $(\pi \times 15^2) + (15 \times 30) =$
1156.5 cm².
Perimeter = (Circumference of a full
circle radius 15 cm) + 15 +15 (two
shorter sides of rectangle) =
$(\pi \times 30) + 30 = 124.2$ cm.

c) Area = Outer semi circle – Inner
semi circle = 510.25 m².
Perimeter = ½ Circumference of
larger + ½ Circumference of inner +
5 + 5 = ½ × π × 70 + ½ × π × 60 +
10 = 214.1 m.

Q3 a) ABDC = $\frac{60}{360} \times \pi(30)^2 - \frac{60}{360} \times \pi(20)^2$
$= 261.8$ mm²
b) $2(½\pi5^2) = 78.5$ mm².
Hence 261.8 + 78.5 = 340.3 mm².

c) $\frac{1}{6}\pi R^2$

d) $\frac{1}{6}\pi R^2 - \frac{1}{6}\pi r^2 = \frac{1}{6}\pi(R^2 - r^2)$

e) $\frac{1}{6}\pi(R^2 - r^2) + \pi(\frac{R-r}{2})^2$

Q4 a) $80/360 \times \pi5^2 = 17.45$ cm²
b) Area of triangle AOB =
$\frac{1}{2} \times 5 \times 5 \times \sin80 = 12.31$ cm².
Shaded Area = 17.45 – 12.31 =
5.14 cm²

Q5 a) BAD = 80° (opposite angle C in
cyclic quadrilateral)
b) EAB = $180 - 80 - 30 = 70°$

Q6 a) BD = 5 cm (as the tangents BD and
CD are equal).
b) Angle COD = 70° (= 180° – (20° +
90°)), since the tangent CD meets
the radius OC at an angle of 90°.
c) Angle COB = 140° (since angle
BOD equals angle COD).
d) Angle CAB = 70° (since the angle
at the centre (COB) is twice the
angle at the edge (CAB)).

Answers: P.51 — P.54

Q7 a) BOE = 106° (angle at centre)
   b) ACE = 32° (angle in opposite segment)

Q8 a) ACD = 70° (angle in opposite segment)
   b) BAD = 180 – (30 + 70) = 80° (opposite angles of a cyclic quadrilateral total 180°)

Q9 a) Angles in the same segment.
   b) 3x + 40 = 6x – 50
   90 = 3x
   30 = x
   angle ABD = 3(30) + 40 = 130°

Q10 There are 2 ways of answering this question.

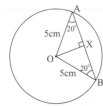

A diameter through O bisects the chord at X so $\cos 20° = \dfrac{AX}{5}$ =>

AX = 4.698 and

AB = 9.40cm.

or by the sine rule $\dfrac{AB}{\sin 140} = \dfrac{5}{\sin 20}$

AB = $\dfrac{5\sin 140}{\sin 20}$ = 9.40 cm

Q11 a) Angle ABD = 70° (angle at centre = 2 × angle at circumference)
   b) Angle ABC = 90° (angle in semicircle)
   c) Angle DBC = 20° (90° – 70°)

Q12 a) 90° (angle in a semicircle)
   b) The angle at A = 90° (tangent and radius are perpendicular). The third angle in the triangle is 180 – 90 – 23 = 67° and so x = 90 – 67 = 23°.
   Or, by opposite segment theorem: x = angle ABC = 23°.

Q13 a) With AD as a chord, angle ABD = ACD = 30° (same segment); angle AXB = 85° (vertically opposite angles). The third angles must be the same in both triangles so the triangles must be similar.
   b) Ratio of lengths = $\dfrac{4}{8} = \dfrac{1}{2}$ so XB = 5cm
   c) angle BDC = 180 – 85 – 30 = 65°

Q14 a) 90° (angle in a semicircle)
   b) Pythagoras is needed here but in the form
   AC² + 3² = 10²
   AC² = 100 – 9 = 91
   AC = 9.54 cm
   c) AD = 5 cm so DC = 9.54 – 5 = 4.54 cm
   then Pythagoras again gives
   (4.54)² + 3² = (DOB)²
   20.606 + 9 = (DOB)²
   So DOB = 5.44 cm

Loci and Constructions P.52-P.53

Q1

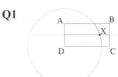

Not to scale

Q2

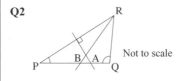

Not to scale

Length BA = 0.87 cm

Q3

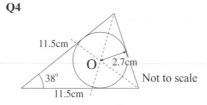

Not to scale

Q4

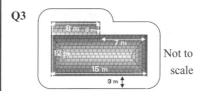

Not to scale

Radius of the circle = 2.7 cm

Q5 a) A circle with diameter AB.
   b) and **c)**

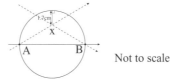

Not to scale

   d) The ship comes 1.7 cm = 0.85 km from the rocks.

Q6

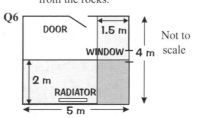

Not to scale

Q7 a)

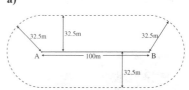

   b) Distance around dashed path = (2 × 100) + π(65) = 404.2 m

Q8

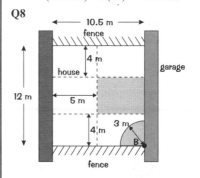

Not to scale

Q9 a)

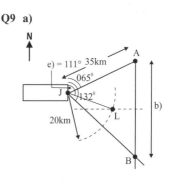

   b) Length = 8.6 cm equivalent to 43 km.
   c) 35 km in 2.5 hrs, so speed =
   $\dfrac{35}{2.5}$ = 14 km/h.
   d) and **e)** see diagram

The Four Transformations P.54-P.55

Q1 a) to **e)** — see diagram.

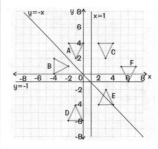

   f) Rotation of 180°, centre (3, 0)

Answers: P.55 — P.58

Q2 a), b), d), e) — see diagram

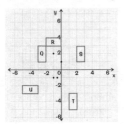

c) Rotation 180° about (0, 2).
f) 90° rotation anticlockwise

about $\left(-\frac{1}{2}, -\frac{1}{2}\right)$.

Q3 a), b) — see diagram.

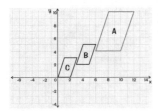

c) Ratio of areas C:A = 1:4

Q4 a), b), c) — see diagram.

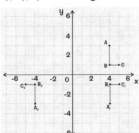

d) Rotation of 180° about (0, 0)

Q5 a)

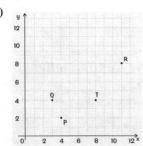

b) $\overrightarrow{QO} = \begin{pmatrix} -3 \\ -4 \end{pmatrix}$

$T = \begin{pmatrix} 11 \\ 8 \end{pmatrix} + \begin{pmatrix} -3 \\ -4 \end{pmatrix} = \begin{pmatrix} 8 \\ 4 \end{pmatrix}$

see diagram

c) $\begin{pmatrix} -1 \\ 2 \end{pmatrix} + \begin{pmatrix} 8 \\ 4 \end{pmatrix} + \begin{pmatrix} -3 \\ -4 \end{pmatrix} + \begin{pmatrix} -4 \\ -2 \end{pmatrix} = \begin{pmatrix} 0 \\ 0 \end{pmatrix}$

Congruence, Similarity and Enlargement P.56-P.57

Q1 ABC and DEF are congruent — same size angles and side lengths.

Q2 a) Angle A shared. Parallel lines make corresponding angles equal so the triangles are similar.
b) Ratio of lengths given by

$$\frac{AB}{AD} = \frac{12}{20} = \frac{3}{5}$$

So $x = 25 \times \frac{3}{5} = 15$ cm

Also $\frac{y+10}{y} = \frac{5}{3}$

$\Rightarrow 2y = 30, y = 15$ cm

Q3

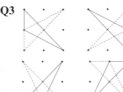

Hence 7 ways to draw <u>another</u>.

Q4 A:B = 3:2 in height, so
A:B = 27:8 in volume

Volume of B = $54 \times \frac{8}{27} = 16$ cm³

Q5 a) All lengths must be enlarged in the same ratio for them to be similar.
b) 4 1

Q6 a) Triangles APQ and STC (both isosceles and share either angle A or C)
b) Ratio AC:AQ = 24:7.5 = 3.2:1 so

AP = $15 \times \frac{1}{3.2} = 4.6875$ cm

PT = $24 - 2 (4.6875)$
= 14.625 cm.

c) Using $\frac{1}{2}$ (base)(height) =

$\frac{1}{2}$ (24)(9) = 108 cm²

d) Scale factor = $\frac{1}{3.2}$

Area scale factor = $\frac{1}{10.24}$

Area of triangle APQ = 108 ×

$\frac{1}{10.24}$ = 10.5 cm²

e) 108 − 2 (10.5) = 87 cm²

Q7 a) 2 end faces $2 \times (10 \times 8) = 160$ cm²
2 side faces $2 \times (10 \times 15) =$
300 cm²
Top & bottom $2 \times (15 \times 8) =$
240 cm²

Total = 700 cm²

b) SF for length = 1:50
SF for area = 1:2500
new area = 700 × 2500
= 1 750 000 cm²
= 175 m²

Q8 a) & b)

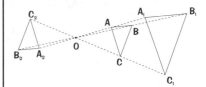

c) triangle $A_2B_2C_2$

Q9 a) volume = $\frac{1}{3} (\pi 100^2)(100)$
= 1047198 cm³
= 1.05 m³
b) 50 cm
c) ratio = 1:2³ = 1:8
d) Volume of small cone =
$1.05 \times \frac{1}{8} = 0.131$ m³
e) volume of portion left =
1.05 − 0.131 = 0.919

so ratio = 0.919:0.131 = $\frac{0.919}{0.131}$:1 =
7:1

Length, Area and Volume P.58

Q1 a) Length.
b) Area.
c) None of these.
d) Length.
e) Volume.
f) Volume.
g) Volume.
h) None of these.

Q2 a) Length.
b) Length.
c) Area.
d) Length.

Q3 a) None of these.
b) Perimeter.
c) Area.
d) Area.

Q4 No. (It has an r missing for it to be the volume of a sphere.)

Q5 Yes. (It is the formula for the area of a triangle.)

Q6 Yes. (It is the formula for the area of a trapezium.)

Q7 Yes. (It could be the perimeter of a symmetrical irregular pentagon.)

Q8 No. (It is only a length × a length. In fact it is the formula for the area of a kite.)

Q9 a) Volume of a cube = l³.
b) Area of a circle = $\pi (d/2)^2$.
c) Perimeter of a circle = $2 \pi r$.

Answers: *P.59 — P.63*

Section Three

Pythagoras and Bearings
P.59-P.60

Q1 a) 10.8 cm   **f)** 7.89 m
  b) 6.10 m   **g)** 9.60 cm
  c) 5 cm   **h)** 4.97 cm
  d) 27.0 mm   **i)** 6.80 cm
  e) 8.49 m   **j)** 8.5 cm

Q2 a = 3.32 cm   f = 8.62 m
  b = 6 cm   g = 6.42 m
  c = 6.26 m   h = 19.2 mm
  d = 5.6 mm   i = 9.65 m
  e = 7.08 mm   j = 48.7 mm

Q3 k = 6.55 cm   q = 7.07 cm
  l = 4.87 m   r = 7.50 m
  m = 6.01 m   s = 9.45 mm
  n = 12.4 cm   t = 4.33 cm
  p = 5.22 cm   u = 7.14 m

Q4 a) 245°
  b) 310°
  c) 035°
  d) 131°
  e) 297°, 028°, 208°
  f) 139°, 284°, 104°

Q5 8.87 m

Q6 314 m

Q7 a) 12 cm, 7.94 cm
  b) 40.9 cm
  c) 89.7 cm²

Q8 192 km

Q9 a)

  i) 268 m
  ii) 225 m
  b) 350² = 122 500. 225² + 268² = 122 449

Q10

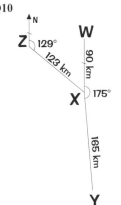

a) 96 km
b) 255 km
c) 266 km
d) 156°
e) 082°
f) 177°

Q11

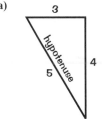

2500 m, 010°

Q12

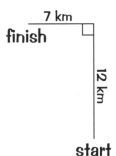

13.9 km from the starting point.
150° to return to base.

Trigonometry P.61-P.63

	(tan)	(sin)	(cos)
Q1 a)	0.306	0.292	0.956
b)	8.14	0.993	0.122
c)	0.0875	0.0872	0.996
d)	0.532	0.469	0.883
e)	1	0.707	0.707

Q2 a = 1.40 cm
  b = 6 cm
  θ = 28.1°
  c = 5.31 cm
  d = 10.8 cm

Q3 e = 12.6 cm
  f = 11.3 cm
  θ = 49.5°
  g = 6.71 m
  h = 30.1 cm

Q4 i = 4.89 cm
  j = 3.79 cm
  θ = 52.4°
  k = 5.32 cm
  l = 41.6 cm

Q5 m = 11.3 cm
  n = 18.8 cm
  p = 8.62 cm
  q = 21.3 cm
  r = 54.6°
  t = 59.8 cm
  u = 14.5 cm
  v = 11.7 cm
  w = 11.7 cm

Q6 a)

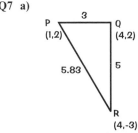

  b) 36.9°

Q7 a)

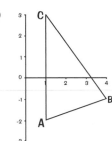

  b) 59.0°
  c) 31.0°

Q8 a)

b) 71.6°
c) 36.9°
d) 71.5°

Q9 2.1 m

Q10 20.5°

Q11

θ = 52.1°, bearing = 322°

Q12 a) both 30.8 cm
  b) 27.5 cm   **c)** 385 cm²

Answers: P.64 — P.68

Q13

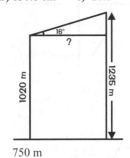

height = 5.90, base = 7.52, so area = 22.2 cm².

Q14 a) 8.23 cm
b) 4.75 cm   **c)** 39.1 cm²

Q15 a) 10.8 cm
b) 150.8 cm²   **c)** 21.0°

Q16

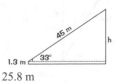

Q17

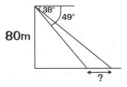

25.8 m

Q18

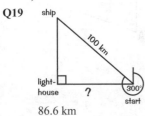

a) 102.4 m, 69.5 m
b) 32.9 m

Q19

86.6 km

3D Pythagoras and Trigonometry P.64

Q1 a) 59.0°
  b) 23.3 cm
  c) 25 cm
  d) 21.1°

Q2 a) 42.5 cm
  b) 50.9 cm

Q3 a) 36.1 cm, 21.5 cm, 31.0 cm
  b) 36.9 cm

Q4 a) 15.4 cm
  b) 20.4 cm

Q5 a) 3.82 cm
  b) 45.8 cm²
  c) 137.5 cm³

The Sine and Cosine Rules P.65-P.67

Q1 a = 4.80 cm f = 5.26 cm
    b = 25.8 mm g = 9.96 cm
    c = 13.0 cm h = 20.2 mm
    d = 8.89 m i = 3.72 m
    e = 18.4 cm j = 8.29 cm

Q2 k = 51° q = 36°
    l = 46° r = 64°
    m = 43° s = 18°
    n = 53° t = 49°
    p = 45° u = 88°

Q3 a = 63° i = 5.0 mm
    b = 45° j = 68°
    c = 8.9 cm k = 203 mm
    d = 27° l = 127 mm
    e = 10.5 cm m = 24.1 cm
    g = 49° n = 149°
    h = 78° p = 16°

Q4 a) 46°
  b) 52°   **c)** 82°

Q5   12.0 m

Q6 a) 28.8 km   **b)** 295.5°

Q7

base = 7.04 cm

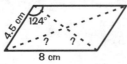

base = 8.39 cm

Q8

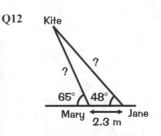

Diagonals 11.2 cm and 6.6 cm.

Q9 a) 16.9 m
  b) 12.4 m
  c) 25.8 m
  d) 19.5 m

Q10

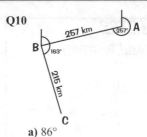

a) 86°
b) 323 km
c) 215°

Q11 a)

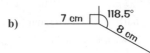

b)

14.5 cm
(118.5° comes from the fact that the minute hand is at 19.75 mins.
19.75 ÷ 60 × 360 = 118.5°.)

c)

13.5 cm

Q12

Kite

Mary's string = 5.85 m
Jane's string = 7.13 m

Vectors P.68

Q1 a)

b) i) $\begin{pmatrix} -1 \\ -4 \end{pmatrix}$

  ii) $\begin{pmatrix} 4 \\ 0 \end{pmatrix}$

  iii) $\begin{pmatrix} 5 \\ 4 \end{pmatrix}$

c) Isosceles

Answers: P.69 — P.71

Q2 a) $\begin{pmatrix} 2 \\ 1 \end{pmatrix}$ $\underset{\sim}{p} + \underset{\sim}{q}$

b) $\begin{pmatrix} 2 \\ 5 \end{pmatrix}$ $\underset{\sim}{p} - \underset{\sim}{q}$

c) $\begin{pmatrix} 6 \\ -2 \end{pmatrix}$ $2\underset{\sim}{r}$

d) $\begin{pmatrix} 1 \\ 1 \end{pmatrix}$ $\underset{\sim}{s} + \underset{\sim}{p}$

e) $\begin{pmatrix} 6 \\ 10 \end{pmatrix}$ $2\underset{\sim}{p} - 2\underset{\sim}{s}$

f) $\begin{pmatrix} -1 \\ -8 \end{pmatrix}$ $3\underset{\sim}{q} + \underset{\sim}{s}$

g) $\begin{pmatrix} 6 \\ 0 \end{pmatrix}$ $2\underset{\sim}{r} - \underset{\sim}{q}$

h) $\begin{pmatrix} 6 \\ -3 \end{pmatrix}$ $\tfrac{1}{2}\underset{\sim}{q} + 2\underset{\sim}{r}$

i) $\begin{pmatrix} 0 \\ -1 \end{pmatrix}$ $\underset{\sim}{p} + 2\underset{\sim}{s}$

j) $\begin{pmatrix} -6 \\ 0 \end{pmatrix}$ $\underset{\sim}{q} - 2\underset{\sim}{r}$

Q3 a) $2\underset{\sim}{y}$ **d)** $2\underset{\sim}{y} + 2\underset{\sim}{x}$
b) $\underset{\sim}{y} + \underset{\sim}{x}$ **e)** $4\underset{\sim}{y} + 2\underset{\sim}{x}$
c) $-\underset{\sim}{y} - \underset{\sim}{x}$ **f)** $2\underset{\sim}{x}$

Q4 a) i) $\overrightarrow{ED}$ or $\overrightarrow{AF}$ **v)** $\overrightarrow{BE}$
ii) $\overrightarrow{EF}$ or $\overrightarrow{DC}$ **vi)** $\overrightarrow{AC}$
iii) $\overrightarrow{AE}$ **vii)** $\overrightarrow{EC}$ or $\overrightarrow{AB}$
iv) $\overrightarrow{BA}$ **viii)** $\overrightarrow{EB}$
b) i) 48 cm²   **ii)** 60 cm²

Real-Life Vectors P.69

Q1 9.5 km/h
Q2 a) 55°
b) 2.9 km/h
Q3 a) 007°
b) 605 km/h
Q4 i) a) 15.6 N
b) 40°
ii) a) 18.0 N
b) 34°
iii) a) 30.5 N
b) 41.0°

The Graphs of Sin, Cos and Tan P.70-P.71

Q1 A(180,0)
B(90,1)   C(−90,−1)
Q2 D(270,0)   F(0,1)
E(90,0)   G(−90,0)
Q3 H(180,0)
I(−45,−1)   J(45,1)
Q4 A $y = \sin(x)$ and $y = \tan(x)$
B $y = \cos(x)$
C $y = \cos(x)$
D $y = \sin(x)$ and $y = \tan(x)$
E $y = \sin(x)$
F $y = \tan(x)$
G $y = \sin(x)$ and $y = \tan(x)$
H $y = \cos(x)$
I $y = \sin(x)$
J $y = \cos(x)$

Q5

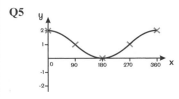

$y = \cos(x) + 1$

Q6 a)

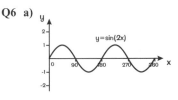

The graph $y = \sin(2x)$ is enlarged along the x-axis by a scale factor ½.

b)

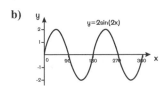

The graph $y = 2\sin(2x)$ is enlarged along the x-axis by a scale factor ½ and along the y-axis by a scale factor 2.

Q7

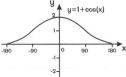

Whole graph moved up one unit on y-axis.

Q8

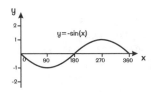

This is a reflection of $y = \sin(x)$ in the x-axis.

Q9

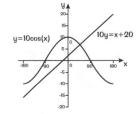

The graphs cross at about (48,6.8).
If $y = 10\cos x$ then $10y = 100\cos x$, so where the graphs cross, $100\cos x = x + 20$. This can be rewritten as $20 = 100\cos x - x$, so where the graphs cross is a solution to this equation.

Q10

X	0	10	20	30	40	50	60	70	80	90
sin x	0	0.17	0.34	0.5	0.64	0.77	0.87	0.94	0.98	1
(sin x)²	0	0.03	0.12	0.25	0.41	0.59	0.75	0.88	0.97	1

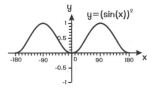

Answers: P.72 — P.75

Q11

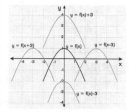

Graphs cross at about (85,11), so $x = 85$ is an approximate solution to $x = 10\tan(x) - 25$.

Angles of Any Size P.72-P.73

(Answers to Qns.1- 4 are given to the nearest degree.)

Q1 **a)** $-510°, -390°, -150°, -30°, 210°,$
330°, 570°, 690°.
b) $-714°, -546°, -354°, -186°, 6°,$
174°, 366°, 534°.
c) $-476°, -424°, -116°, -64°, 244°,$
296°, 604°, 656°.

Q2 **a)** $-694°, -386°, -334°, -26°, 26°,$
334°, 386°, 694°.
b) $-660°, -420°, -300°, -60°, 60°,$
300°, 420°, 660°.
c) $-593°, -487°, -233°, -127°, 127°,$
233°, 487°, 593°.
Cos graph has the y-axis as a line of symmetry, the sin graph does not.

Q3 **a)** $-405°, -225°, -45°, 135°, 315°.$
b) $-333°, -153°, 27°, 207°, 387°.$
c) $-288°, -108°, 72°, 252°, 432°.$

Q4 **a)** e.g. $-337°, -203°, 23°, 157°.$
b) e.g. $-293°, -67°, 67°, 293°.$
c) e.g. $-269°, -89°, 91°, 271°.$
(Remember answers are rounded — if you try working backwards to check them, they'll look wrong.)

Q5

	sine	cosine	tangent
a)	0.0872	−0.996	−0.0875
b)	−0.0872	−0.996	0.0875
c)	0.707	0.707	1
d)	−0.259	0.966	−0.268

e) For positive and negative values of the same sized angle, sine and tangent have one positive and one negative y-value. Cosine always has the same sign.
f) The cosine graph is symmetrical about the y-axis, so the positive and negative of any angle will give the same value. The other two graphs aren't symmetrical about the y-axis.

Graphs: Shifts and Stretches P.74-P.75

Q1 a) to **d)**

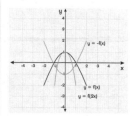

e) and **f)**

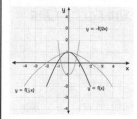

g) and **h)**

Q2 a) to **d)**

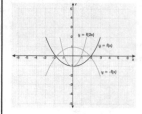

e) and **f)**

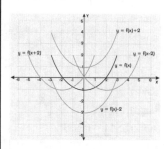

g) to **i)**

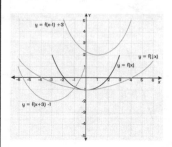

Q3 a) and **b)**

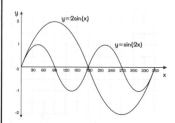

Q4 a) and **b)**

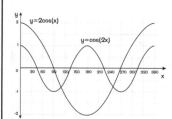

Q5 a) to **d)**

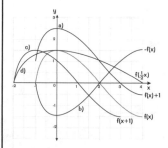

e) to **g)**

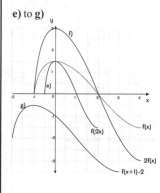

Answers: P.76 — P.80

Section Four

D/T Graphs and V/T Graphs
P.76-P.77

Q1 **a)** 4 km
  b) 15 mins and 45 mins
  c) 2.4 km/h
  d) 1100
  e) 10 km/h
  f) 1030

Q2 **a)** 20 mins
  b) 10 mins
  c) 1.33 miles
  d) 12 miles in 1 hour 20 mins = 9 mph.
  e) 6 miles in 10 mins = 36 mph
  f) 24 miles in 3 hours = 8 mph

Q3

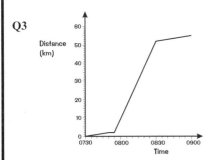

  He waited for 5 mins.

Q4 **a)** A 80 km/h
    B 57.1 km/h
    C 66.7 km/h
    D 44.4 km/h
    E 50 km/h
  b) steepest slope was fastest, least steep slope was slowest.
  c) 15 minutes

Q5 **a)** B   **b)** 3¾ mins
  c) B
  d) i) 267 m/min   **ii)** 16.0 km/h
  e) C was the fastest;
    700 m/min or 42 km/h

Q6 **a)**

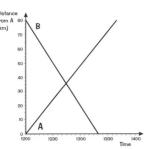

  b) accept 1243-1245
  c) accept 35-36 km

Q7 a)

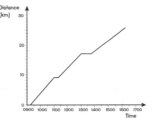

  b) 25.75 km   **c)** 3.68 km/h
  d) Her fastest speed was in the first section (steepest graph) — her speed was 5.14 km/h.

X, Y and Z Coordinates P.78-P.79

Q1

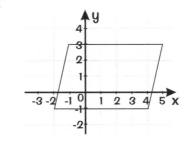

  missing coordinate = (5,3)

Q2

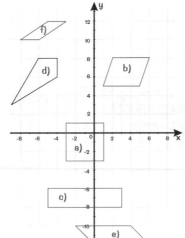

  a) B is (1, -3)
  b) C is (5, 5)
  c) A is (-5, -8)
  d) D is (-4, 6)
  e) D is (0, -12)
  f) C is (-3, 12)

Q3

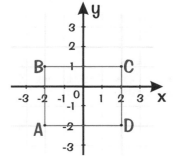

  C = (2, 1), D = (2, -2)

Q4 **a)** (3,4)
  b) (5.5,5)
  c) (5.5,11)
  d) (8.5,9)
  e) (3,3.5)
  f) (9.5,9.5)
  g) (20,41.5)
  h) (30.5,20.5)

Q5 **a)** (2,5.5)
  b) (0.5,1.5)
  c) (2,–2.5)
  d) (1,–1)
  e) (2,3)
  f) (4,–0.5)
  g) (–13,–12.5)
  h) (–5,–7)

Q6 B (1, 5, 8), C (4, 5, 8), D (4, 2, 8)
    E (4, 2, 3), F (1, 2, 3), G (1, 5, 3)

Pythagoras and Coordinates P.80

Q1   AB: 5 (don't need Pythagoras)
    CD: $\sqrt{10} = 3.16$
    EF: $\sqrt{13} = 3.61$
    GH: $\sqrt{8} = 2.83$
    JK: $\sqrt{5} = 2.24$
    LM: $\sqrt{26} = 5.10$
    PQ: $\sqrt{20} = 4.47$
    RS: $\sqrt{45} = 6.71$
    TU: $\sqrt{13} = 3.61$

Q2 **a)** 5
  b) $\sqrt{17} = 4.12$
  c) 5
  d) $\sqrt{58} = 7.62$
  e) $\sqrt{26} = 5.10$
  f) parallelogram

Q3 91.9 cm

Answers: *P.81 — P.84*

Q4 **a)** $\sqrt{41} = 6.40$

b) $\sqrt{98} = 9.90$

c) $\sqrt{53} = 7.28$

d) $\sqrt{34} = 5.83$

e) 4 (don't need Pythagoras here)

f) $\sqrt{37} = 6.08$

Q5 **a)** $\sqrt{10} = 3.16$

b) $\sqrt{130} = 11.40$

c) $\sqrt{8} = 2.83$

d) $\sqrt{233} = 15.26$

e) $\sqrt{353} = 18.79$

f) $\sqrt{100} = 10$

Q6 4.58 m

Straight Line Graphs P.81-P.82

Q1 **a)** B   **f)** F
   b) A   **g)** C
   c) F   **h)** B
   d) G   **i)** D
   e) E   **j)** H

Q2

x	-4	-3	-2	-1	0	1	2	3	4
3x	-12	-9	-6	-3	0	3	6	9	12
-1	-1	-1	-1	-1	-1	-1	-1	-1	-1
y	-13	-10	-7	-4	-1	2	5	8	11

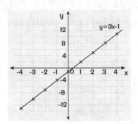

Q3

x	-6	-4	-2	0	2	4	6
½ x	-3	-2	-1	0	1	2	3
-3	-3	-3	-3	-3	-3	-3	-3
y	-6	-5	-4	-3	-2	-1	0

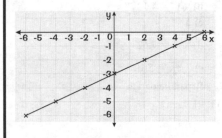

Q4

x	0	3	8
y	3	9	19

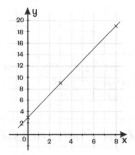

a) 13   **c)** 4
b) 7   **d)** 7

Q5

x	-8	-4	8
y	-5	-4	-1

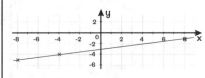

a) $-2\frac{1}{2}$ **c)** 4
b) -3   **d)** 6

Q6

Number of Units used	0	100	200	300
Cost using method A	10	35	60	85
Cost using method B	40	45	50	55

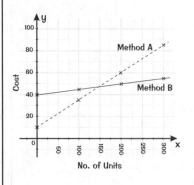

a) i) £27.50   **ii)** £43.50
b) Method A
c) 150 units

Y = mx + c P.83-P.84

Q1 **a)** $m = 4$, $(0, 3)$
   b) $m = 3$, $(0, -2)$
   c) $m = 2$, $(0, 1)$
   d) $m = -3$, $(0, 3)$
   e) $m = 5$, $(0, 0)$
   f) $m = -2$, $(0, 3)$
   g) $m = -6$, $(0, -4)$
   h) $m = 1$, $(0, 0)$
   i) $m = -\frac{1}{2}$, $(0, 3)$
   j) $m = \frac{1}{4}$, $(0, 2)$
   k) $m = \frac{4}{3}$, $(0, 2)$
   l) $m = -\frac{5}{2}$, $(0, -2)$
   m) $m = \frac{1}{2}$, $(0, -\frac{3}{2})$
   n) $m = \frac{7}{3}$, $(0, \frac{5}{3})$
   o) $m = -1$, $(0, 0)$
   p) $m = 1$, $(0, 0)$
   q) $m = 1$, $(0, 3)$
   r) $m = 1$, $(0, -3)$
   s) $m = 3$, $(0, 7)$
   t) $m = 5$, $(0, 3)$
   u) $m = -2$, $(0, -3)$
   v) $m = 2$, $(0, 4)$

Q2 **a)** $-\frac{1}{2}$ **h)** 1
   b) 3   **i)** -1
   c) $-\frac{1}{4}$ **j)** $\frac{1}{3}$
   d) -2   **k)** $-\frac{1}{2}$
   e) $-\frac{2}{3}$ **l)** 3
   f) $-\frac{8}{3}$ **m)** 4
   g) 4

Q3 **a)** 2   **d)** -2
   b) $\frac{1}{2}$ **e)** $\frac{1}{2}$
   c) -1   **f)** $-\frac{3}{4}$

Q4 **a)** $y = \frac{7}{2}x - 1$ **d)** $y = \frac{1}{4}x - 3$
   b) $y = \frac{1}{2}x + 4$ **e)** $y = -\frac{1}{2}x$
   c) $y = -\frac{1}{5}x + 7$ **f)** $y = -2x - 6$

Q5 **a)** $y = x + 4$ **d)** $y = -x$
   b) $y = 3x + 2$ **e)** $y = -3x + 4$
   c) $y = 2x + 9$ **f)** $y = -2x - 3$

Q6 **a)** $y = x$ **d)** $y = -3x + 3$
   b) $y = 3x$ **e)** $y = -2x - 4$
   c) $y = 2x + 1$ **f)** $y = 5x + 3$

Q7 **a)** $x = 4$ **c)** $y = 7$
   b) $x = 8$ **d)** $y = 9$

Q8 (7, 20) and (5, 14)

Answers: P.85 — P.89

Graphs to Recognise P.85-P.87

Q1 a) Cubic
b) Straight Line
c) Reciprocal
d) Quadratic
e) Cubic
f) Reciprocal
g) Quadratic
h) Quadratic
i) Straight Line
j) Cubic
k) Cubic
l) Quadratic

Q2 a) — xviii)   l) — xvii)
b) — x)   m) — xiv)
c) — ix)   n) — xxi)
d) — iv)   o) — viii)
e) — ii)   p) — xvi)
f) — xv)   q) — vi)
g) — xiii)   r) — xix)
h) — xi)   s) — v)
i) — i)   t) — iii)
j) — vii)   u) — xii)
k) — xx)

Quadratic Graphs P.88

Q1

x	-4	-3	-2	-1	0	1	2	3	4
$y=2x^2$	32	18	8	2	0	2	8	18	32

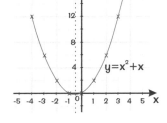

Q2

x	-4	-3	-2	-1	0	1	2	3	4
x^2	16	9	4	1	0	1	4	9	16
$y=x^2+x$	12	6	2	0	0	2	6	12	20

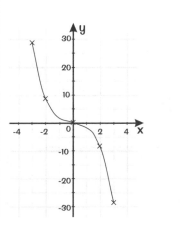

Q3 a)

x	-4	-3	-2	-1	0	1	2	3	4
3	3	3	3	3	3	3	3	3	3
$-x^2$	-16	-9	-4	-1	-0	-1	-4	-9	-16
$y=3-x^2$	-13	-6	-1	2	3	2	-1	-6	-13

b)

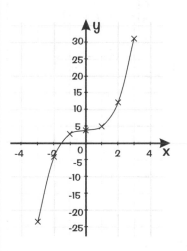

c) 3

Cubic Graphs P.89

Q1

x	-3	-2	-1	0	1	2	3
$y=x^3$	-27	-8	-1	0	1	8	27

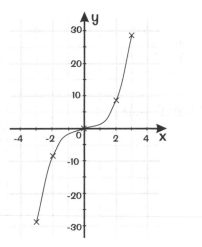

Q2

x	-3	-2	-1	0	1	2	3
$y=-x^3$	27	8	1	0	-1	-8	-27

Q3

x	-3	-2	-1	0	1	2	3
x^3	-27	-8	-1	0	1	8	27
+4	4	4	4	4	4	4	4
Y	-23	-4	3	4	5	12	31

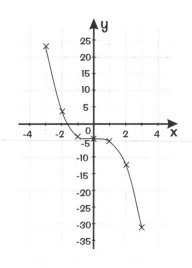

Q4

x	-3	-2	-1	0	1	2	3
$-x^3$	27	8	1	0	-1	-8	-27
-4	-4	-4	-4	-4	-4	-4	-4
y	23	4	-3	-4	-5	-12	-31

Answers: P.90 — P.93

Q5 The graph has been moved 4 units up the *y*-axis.

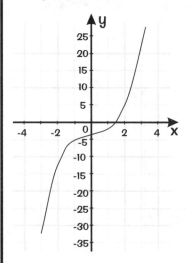

Q6 The graph has been moved 4 units down the *y*-axis.

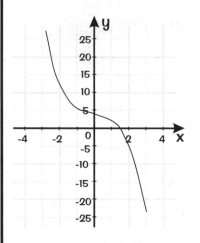

Solving Equations Using Graphs P.90

Q1

x	-4	-3	-2	-1	0	1	2	3	4
x²	16	9	4	1	0	1	4	9	16
-4	-4	-4	-4	-4	-4	-4	-4	-4	-4
y	12	5	0	-3	-4	-3	0	5	12

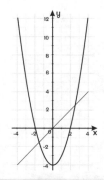

a) $x = 2.2$, $x = -2.2$
   (accept $x = \pm 2.3$)
b) $x = 2$, $x = -2$
c) $x = 2.6$, $x = -1.6$
   (accept $x = 2.5$, $x = -1.5$)

Q2 a) $x = -1$, $x = -2$
   b) $x = 3$, $x = -2$
   c) $x = 2$, $x = -1$
   d) $x = -3$, $x = -4$
   e) $x = 1$, $x = -4$
   f) $x = 1$, $x = 3$
   g) $x = -2$, $x = -0.5$
   h) $x = 1.2$, $x = -3.2$
   (accept $x = 1.3$, $x = -3.3$)

Q3 a)

t	0	1	2	2.5	3	4	5	6
½ t	0	0.5	1	1.25	1.5	2	2.5	3
(5 - t)	5	4	3	2.5	2	1	0	-1
d = ½ t (5 - t)	0	2	3	3.13	3	2	0	-3

b)

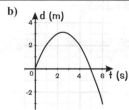

c) i) 5 seconds
   ii) 3.13 metres
   iii) 2.5 seconds
   iv) 0.4 and 4.6 seconds

Areas of Graphs P.91

Q1 a) i) 90 km
   ii) 150 km
   b) 320 km

Q2 a) i) 17.5 km
   ii) 50 km
   b) 102.5 km

Q3 105 m

Q4 140 m

Equations from Graphs P.92–P.93

Q1

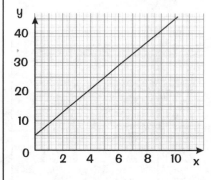

a) 4   **b)** 5   **c)** $y = 4x + 5$
d) i) 29 **ii)** 45

Q2

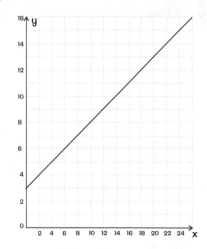

a) $\frac{1}{2}$ **b)** 3   **c)** $y = \frac{1}{2}x + 3$

Q3

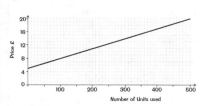

a) $P = 0.03N + 5$
b) i) £17   **ii)** £26

Q4

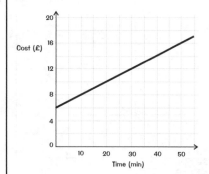

a) $C = 0.2M + 6$
b) £6
c) £12
d) i) £22
   ii) £26
   iii) £42

Answers: P.94 — P.101

Section Five

Probability P.94-P.97

Q1 a) 1/2
 b) 2/3
 c) 1/6
 d) 0

And so should be arranged <u>approximately</u> like this on the number line.

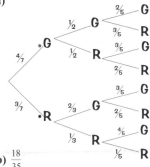

Q2 1/49

Q3 The probability of a head is still 1/2

Q4 $1 - 0.27 = 0.73$ or 73/100

Q5 a) 5/12
 b) $4/12 = 1/3$
 c) $3/12 = 1/4$
 d) $9/12 = 3/4$

Q6 a) $40/132 = 10/33$
 b) P(car being blue or green) = 45/132
 P(not blue or green) = $87/132 = 29/44$

Q7 a) 1/4
 b) $1/4 \times 100 =$ approx 25 days

Q8 a)

Outcome	Frequency
W	8
D	5
L	7

 b) The 3 outcomes are not equally likely.
 c) 1/4

Q9 a) $\frac{1}{13}$
 b) $\frac{2}{39}$ **c)** $\frac{1}{36}$

Q10 a) $\frac{7}{12}$ **b)** $\frac{7}{12}$
 c) The two are not mutually exclusive (or other equivalent answer).

Q11 a) $\frac{2}{5}$
 b) $\frac{4}{15}$ **c)** $\frac{2}{3}$

Q12 a) (1,1), (1,2), (1,3), (1,4), (1,5), (1,6), (1,7), (2,1), (2,2), (2,3), (2,4), (2,5), (2,6), (2,7), (3,1), (3,2), (3,3), (3,4), (3,5), (3,6), (3,7)

 b)

	1	2	3	4	5	6	7
1	2	3	4	5	6	7	8
2	3	4	5	6	7	8	9
3	4	5	6	7	8	9	10

c) $\frac{1}{7}$ **d)** $\frac{11}{21}$

e) $\frac{2}{7}$ **f)** $\frac{5}{7}$

g) Subtract the answer to part **e)** from 1.

Q13 a)

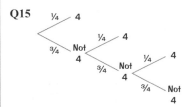

 b) $\frac{18}{35}$

 c) $\frac{3}{7}$

Q14 4 times

Q15

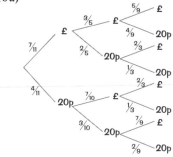

 a) $\frac{3}{16}$

 b) $\frac{37}{64}$

Q16 a)

 b) $\frac{28}{55}$ **c)** $\frac{46}{165}$

Q17 a) $\frac{1}{4}$

 b) $\frac{1}{2}$ **c)** $\frac{1}{2}$

Q18 $\frac{1}{28}$

Mean, Median, Mode, Range P.98-P.99

Q1 3 tries

Q2 mean = 1.333 (to 3 dp)
 median = 1.5
 mode = 2
 range = 11

Q3 a) mean = £12,944, or £13,000 to the nearest £500
 median = £12,000
 mode = £7,500
 b) mode

Q4 a) 0 minutes
 b) 0 minutes
 c) 0 minutes
 d) No, according to the raw data.

Q5 73.5 kg

Q6 20 kg

Q7 97%

Q8 a) 22 **b)** 74

Q9 a) 3.5
 b) 3.5 **c)** 5

Q10 a) Both spend a mean of 2 hours.
 b) The range for Jim is 3 hours and for Bob is 2 hours.
 c) The amount of TV that Jim watches each night is more variable than the amount that Bob watches.

Q11 a) 1 day
 b) 2 days
 c) The statement is true according to the data.

Q12 a) mode
 b) median **c)** mean

Frequency Tables P.100-P.101

Q1 a) 12 **b)** 12

Q2 a)

Subject	M	E	F	A	S
Frequency	5	7	3	4	6

 b) 36 French lessons
 c) English

Q3

Length (m)	4 and under	6	8	10	12	14 and over
Frequency	3	5	6	4	1	1

 a) 8 m
 b) 8 m **c)** 14 m

Q4

Weight (kg)	Frequency	Weight × Frequency
51	40	2040
52	30	1560
53	45	2385
54	10	540
55	5	275

 a) 52 kg
 b) 53 kg
 c) 52 kg (to nearest kg)

Q5 mean = 2.95
 mode = 3
 median = 3

Answers: *P.102 — P.104*

Q6 a) 4
  b) 3   **c)** 3.2 (to 1 dp)
Q7 a) i) False, mode is 8.
  ii) False, they are equal.
  iii) True
  b) iv)

Grouped Frequency P.102

Q1 a)

Speed (km/h)	40≤s<45	45≤s<50	50≤s<55	55≤s<60	60≤s<65
Frequency	4	8	10	7	3
Mid-Interval	42.5	47.5	52.5	57.5	62.5
Frequency × Mid-Interval	170	380	525	402.5	187.5

  Estimated mean = 52 km/h (to nearest km/h)
  b) 22 skiers   **c)** 20 skiers

Q2 a)

Weight (kg)	Tally	Frequency	Mid-Interval	Frequency × Mid-Interval
200 ≤ w < 250	IIII	4	225	900
250 ≤ w < 300	HH	5	275	1375
300 ≤ w < 350	HH II	7	325	2275
350 ≤ w < 400	II	2	375	750

  b) 294 kg (to nearest kg)
  c) 300 ≤ w < 350 kg

Q3 a)

Number	0≤n<0.2	0.2≤n<0.4	0.4≤n<0.6	0.6≤n<0.8	0.8≤n<1
Tally	HH HH II	HH I	HH HH II	HH HH	HH III
Frequency	12	6	12	10	8
Mid-Interval	0.1	0.3	0.5	0.7	0.9
Frequency × Mid-Interval	1.2	1.8	6	7	7.2

  b) $0 \le n < 0.2$ and $0.4 \le n < 0.6$
  c) $0.4 \le n < 0.6$
  d) 0.483 (3 dp)

Cumulative Frequency P.103-P.104

Q1 accept:
  a) 133-134   **c)** 136-137
  b) 127-128   **d)** 8-10

Q2 a) 90 years
  b) 120 years
  c) 70 years

Q3 a)

No. passengers	0≤n<50	50≤n<100	100≤n<150	150≤n<200	200≤n<250	250≤n<300
Frequency	2	7	10	5	3	1
Cumulative Frequency	2	9	19	24	27	28
Mid-Interval	25	75	125	175	225	275
Frequency × Mid-Interval	50	525	1250	875	675	275

  Estimated mean = 130 passengers (to nearest whole number)

b)

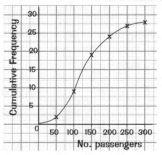

  accept median of 118-122 passengers
  c) $100 \le n < 150$

Q4 a)

Mark (%)	0 ≤ m < 20	20 ≤ m < 40	40 ≤ m < 60	60 ≤ m < 80	80 ≤ m < 100
Frequency	2	12	18	5	3
Cumulative Frequency	2	14	32	37	40

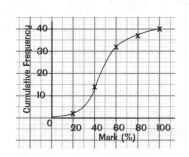

  b) 36%-38%
  c) 19%-21%
  d) 45%-47%

Q5

Score	31≤s<41	41≤s<51	51≤s<61	61≤s<71	71≤s<81	81≤s<91	91≤s<101
Frequency	4	12	21	32	19	8	4
Cumulative Frequency	4	16	37	69	88	96	100

  a) $61 \le s < 71$
  b) $61 \le s < 71$
  c)

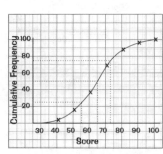

  median = 65 (accept 64-66)
  d) 73 − 55 = 18 (accept 17-19)

Q6 a)

Life (hours)	Frequency	Cumulative Frequency
900 ≤ L < 1000	10	10
1000 ≤ L < 1100	12	22
1100 ≤ L < 1200	15	37
1200 ≤ L < 1300	18	55
1300 ≤ L < 1400	22	77
1400 ≤ L < 1500	17	94
1500 ≤ L < 1600	14	108
1600 ≤ L < 1700	9	117

  b) $1300 \le L < 1400$
  c)

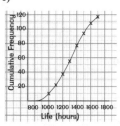

  median = 1320 hours (±20)
  d) lower quartile = 1150 (±20)
    upper quartile = 1460 (±20)

Q7 a)

Time	2:00≤t<2:30	2:30≤t<3:00	3:00≤t<3:30	3:30≤t<4:00	4:00≤t<4:30
Tally	I	HH	IIII HH IIII	HH II	III
Frequency	1	5	14	7	3
Cumulative Frequency	1	6	20	27	30

  b)

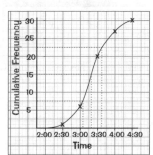

  c) median = 3:19 (±3)
    upper quartile = 3:37 (±3)
    lower quartile = 3:05 (±3)
  d) 0:32 (±5)

Answers: *P.105 — P.109*

Histograms and Dispersion *P.105-P.107*

Q1 8 people are in the 0-10 age range, 8 are in the 10-15 range, 12 are 15-20, 32 are 20-30, 24 are 30-40, 12 are 55-70, 16 are 70-80 and 16 are 80-100.

Q2a)

Weight (kg)	0≤w<2	2≤w<4	4≤w<7	7≤w<9	9≤w<15
Frequency	3	2	6	9	12
Frequency density	1.5	1	2	4.5	2

b)

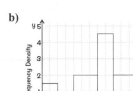

c) 23 hives

Q3 (A,I), (B,II)

Q4 a)

No. of hours	Frequency	Frequency density
0 ≤ h < 1	6	6
1 ≤ h < 3	13	6.5
3 ≤ h < 5	15	7.5
5 ≤ h < 8	9	3
8 ≤ h < 10	23	11.5
10 ≤ h < 15	25	5
15 ≤ h < 20	12	2.4

b) 103 students

c)

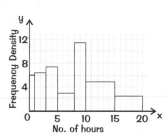

d) 41 students

Q5 A — 16 year olds
B — bags of sugar

Q6 a)

Lifetime (years)	0≤L<2	2≤L<4	4≤L<6	6≤L<8	8≤L<10	10≤L<12
Frequency	15	22	36	9	10	4
Frequency density	7.5	11	18	4.5	5	2
Mid-Interval	1	3	5	7	9	11
Frequency × Mid-Interval	15	66	180	63	90	44

b) 4.8 (to 1 dp)
c) 4 ≤ L < 6
d) 60

e)

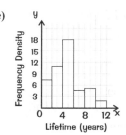

approximately 55

Q7 a)

Amount of Milk (Litres)	Frequency	Frequency Density	Mid-Interval	Frequency × Mid-Interval
0 < C < 1	6	6	0.5	3
1 < C < 5	6	1.5	3	18
5 < C < 8	6	2	6.5	39
8 < C < 10	6	3	9	54
10 < C < 15	6	1.2	12.5	75
15 < C < 20	6	1.2	17.5	105

b) 8.2 litres (to 1 d.p.)

c)

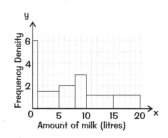

d) 18 days

Q8 a)

Amount (£)	Frequency	Frequency Density	Mid-Interval	Frequency × Mid-Interval
0 ≤ A < 0.50	11	22	0.25	2.75
0.50 ≤ A < 1.00	25	50	0.75	18.75
1.00 ≤ A < 1.30	9	30	1.15	10.35
1.30 ≤ A < 1.50	12	60	1.40	16.80
1.50 ≤ A < 1.80	24	80	1.65	39.60
1.80 ≤ A < 2.50	21	30	2.15	45.15
2.50 ≤ A < 3.10	54	90	2.80	151.20
3.10 ≤ A < 4.10	32	32	3.60	115.20

mean = £2.13 (to nearest penny)

b) 2.50 ≤ A < 3.10

c)

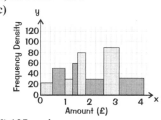

d) 137 readers

Scatter Graphs P.108-P.109

Q1 (A,S), (B,R), (C,P), (D,U)

Q2 a)

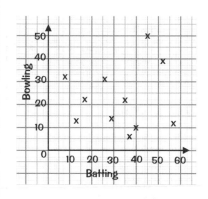

b) There is no correlation.

Q3 a)

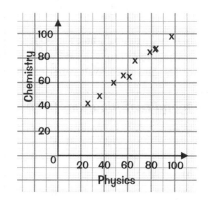

b) Strong positive correlation.

Q4 a)

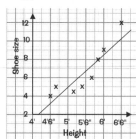

b) Positively correlated.
c) 9

Q5 a), b)

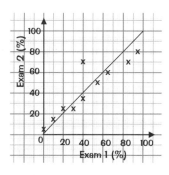

c) 50%

Q6 a), b)

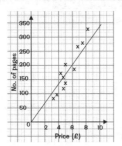

c) £7.50 (±20p)

Q7 a)

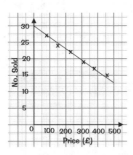

b) i) 20 (to nearest whole number)

ii) £140 (± £10)

c) The data is negatively correlated.

Stem and Leaf Diagrams P.110

Q1 3, 3, 3, 5, 8, 8, 9, 12, 13, 14, 14, 18, 18, 19, 20, 22, 22, 24, 31, 33.

Q2 a) 2
b) 4
c) 6
d) 39
e) 21
f) 21.24
g) 21

Q3
```
0 | 7 8
1 | 1 3 5 8
2 | 1 2 3 6 9
3 | 1 3 7 9
4 | 1 8
5 | 0
```

Q4
```
40|1 2
35|0 0 1 1 1 2 3 3 4
30|0 0 0 0 0 0 0 0 0 0 1 1 1 1 1 1 1 1 1 2 2 2 2 2 3 3 3 3 3 4 4 4
25|0 0 0 0 0 1 1 1 1 1 1 2 2 2 2 2 2 3 3 3 3 3 3 3 4 4 4 4 4 4 4 4 4
20|1 3 3 4 4 4 4
```
E.g. | Key: 20|1 means 21 |

Pie Charts P.111

Q1
Swash	4 × 22 = 88°
Sudso	4 × 17 = 68°
Bubblefoam	4 × 18 = 72°
Cleanyo	4 × 21 = 84°
Wundersuds	4 × 12 = 48°
	360°

Q2 Scotland 380,000 = 148° (approx)
2,600 students = 1°
Hence:
England = 2600 × 118° = 310,000
Wales = 2600 × 44° = 110,000
N.Ireland = 2600 × 50° = 130,000
(all to the nearest 10,000)

Q3 Part **c)**

Q4 Do the Tights and Spendthrifts have the same budget? The pie charts are not the same size. Does this mean that one has a larger budget than the other?
The angles are all the same, for each of the sectors, but arranged differently around the pie; this makes it difficult to make comparisons. Your eye cannot hold the angle so a comparison cannot be made.
For this reason a dual bar chart would be the best diagram to draw. A pie chart shows proportions and not actual amounts so as a statistical diagram it is not good for comparative data.

Graphs and Charts P.112

Q1 a)

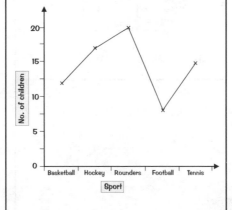

b) Football

---

c) 72 children (assuming they each played only one game).
d) 9 children
e) 12
f) Rounders

Q2 a) Tally chart

Level of skier	No.
Beginner	⦀⦀ ⦀⦀⦀
Intermediate	⦀⦀⦀⦀ ⦀⦀⦀⦀⦀
Good	⦀⦀⦀⦀
Very good	⦀⦀⦀
Racer	⦀⦀⦀

b) Bar chart

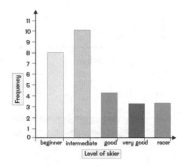

c) Most common type of skier is Intermediate.

Q3 Complaints have not "tailed off" - they have remained the same (approx 10,850) per month.
The number of complaints is not increasing but there are still 10,850 per month, every month.
The products cannot possibly be getting made to a higher quality if the complaints remain the same each month.

Sampling Methods P.113-P.114

Q1 a) Individuals are equally likely to be selected.
b) Start with a random selection and then select every, say, 10th or 100th one after that.
c) Done in "strata" or "layers". E.g. to survey pupils in a school you would pick a selection of the classes, and then pick students at random from those classes.

Q2 a) People in a newsagents are likely to be there to buy a newspaper.
b) At that time on a Sunday, people who go to church are likely to be at church.
c) The bridge club is unlikely to be representative of the population as a whole.

Q3 c) is the only suitable question as it is the only one which will always tell you which of the five desserts people like the most.

Q4 a) Do you play any team sports outside school?
Do you take part in any individual sports outside school?
Do you do any exercise at all outside school?

b) Pick at random 15 girls and 15 boys from each year.

Q5 a) E.g.:

Café Questionnaire
1) Please tick the box to show how often you visit the café:
daily ☐ weekly ☐ fortnightly ☐ monthly ☐ less than monthly ☐
2) Please tick the box to show how often you buy cola:
daily ☐ weekly ☐ fortnightly ☐ monthly ☐ less than monthly ☐

b) She will miss out the people who just buy drinks from the hot and cold drinks machines.

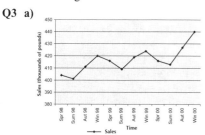

Time Series P.115

Q1 a) and d) are time series [since they're measuring the same thing at different times].
b) and c) are not time series [because they're measuring different things at the same time].

Q2 a) A and D are seasonal. B and C are not seasonal.

b) The period of A is 12 months.
The period of D is 24 hours.

c) There is a downward trend in B of about 9 accidents per year.
There was an upward trend in C for about 25 to 30 days, after which the rise in the share price stops, and quite a sharp downward trend begins.

Q3 a)

b)

Time	Sales
Spring 1998	404
Summer 1998	401
Autumn 1998	411
Winter 1998	420
Spring 1999	416
Summer 1999	409
Autumn 1999	419
Winter 1999	424
Spring 2000	416
Summer 2000	413
Autumn 2000	427
Winter 2000	440

409
412
414
416
417
417
418
420
424

c)

d) There is a slight upward trend in the sales.

Answers: P.116 — P.121

Section Six

Powers and Roots P.116-P.117

Q1 a) 16
b) 1000
c) $3 \times 3 \times 3 \times 3 \times 3 = 243$
d) $4 \times 4 \times 4 \times 4 \times 4 \times 4 = 4096$
e) $1 \times 1 \times 1 \times 1 \times 1 \times 1 \times 1 \times 1 \times 1 = 1$
f) $5 \times 5 \times 5 \times 5 \times 5 \times 5 = 15\,625$

Q2 a) 2^8 (or 256)
b) 12^5 (or 248 832)
c) x^5
d) m^3
e) y^4
f) z^6

Q3 b) 10^7
c) 10^6
d) 10^8
e) Simply add the powers.

Q4 b) 2^3
c) 4^2
d) 8^3
e) Simply subtract the powers.

Q5 a) true **b)** true
c) false **d)** false
e) true **f)** false
g) false **h)** true
i) false **j)** true
k) true **l)** false

Q6 a) 3^{-3} **d)** 3^{-12}
b) 4^{25} **e)** 4^6
c) 10^{-13} **f)** 5^3

Q7 a) 275 **b)** 0.123
c) 53 400 **d)** 6.40×10^{-5}
e) 2.37 **f)** 2.31
g) 10.4 **h)** 0.843
i) 2.25 **j)** 2.18
k) 0.244 **l)** 0.965

Q8 a) 8.76 **b)** 4.17
c) 19.4 **d)** 219
e) 108 **f)** 91.9
g) 13.6 **h)** 17.8
i) 5.06

Q9 a) 0.008 **b)** 0.25
c) 1.53×10^{-5} **d)** 0.667
e) 2.24 **f)** 1.82
g) 1.55 **h)** 2.60
i) 0.512 **j)** 1.21
k) 0.0352 **l)** 7.28

Q10 a) 1.49 **b)** 20.1
c) 2.50 **d)** 6.55
e) 1.08 **f)** 8.78
g) 0.707 **h)** −0.380

Q11 a) 9.14 **b)** 1.50
c) 0.406 **d)** 476
e) 0.0146 **f)** 1.22
g) 84.5 **h)** 0.496
i) 165 **j)** 8.47

Compound Growth and Decay P.118-P.119

Q1 a) £473.47 **c)** £909.12
b) £612.52 **d)** £1081.90

Q2 a) 281
b) 3036
c) 27 hours

Q3 a) 8.214 kg **c)** 7.272 kg
b) 7.497 kg **d)** 3.836 kg

Q4 a) £1920.80 **c)** £434.06
b) £27 671.04 **d)** £34 974.86

Q5 Second option by £2.20

Q6 £462.08

Q7 £3162.91

Q8 a) 910.91
b) 754.32
c) 114.39
d) about 30 hours

Q9 a) £7877.94 **d)** £10 646.54
b) £27,116.06 **e)** £7184.25
c) £9980.90 **f)** £5843.70

Q10 a) £38 581.88
b) £47 241.36
c) £50 683.33
d) £244 418.05

Q11 a) 51
b) 52
c) 50
d) 61

Q12 a) 16.85 million
b) 20.72 million

Basic Algebra P.120-P.121

Q1 a) -27°C **d)** +18°C
b) -22°C **e)** +15°C
c) +12°C **f)** -12°C

Q2 Expression **b)** is larger by 1.

Q3 a) $-4x$ **b)** $18y$

Q4 a) −1000, −10 **c)** 144, 16
b) −96, −6 **d)** 0, 0

Q5 -4

Q6 a) $-6xy$ **g)** $\dfrac{-5x}{y}$
b) $-16ab$ **h)** 3
c) $8x^2$ **i)** −4
d) $-16p^2$ **j)** −10
e) $\dfrac{10x}{y}$ **k)** $4x$
f) $\dfrac{-10x}{y}$ **l)** $-8y$

Q7 a) $15x^2 - x$
b) $13x^2 - 5x$
c) $-7x^2 + 12x + 12$
d) $30abc + 12ab + 4b$
e) $18pq + 8p$
f) $17ab - 17a + b$
g) $4pq - 5p - 9q$
h) $16x^2 - 4y^2$

i) $abc + 10ab - 11cd$
j) $-2x^2 + y^2 - z^2 + 6xy$

Q8 a) $4x + 4y - 4z$
b) $x^2 + 5x$
c) $-3x + 6$
d) $9a + 9b$
e) $-a + 4b$
f) $2x - 6$
g) $4e^2 - 2f^2 + 10ef$
h) $16m - 8n$
i) $6x^2 + 2x$
j) $-2ab + 11$
k) $-2x^2 - xz - 2yz$
l) $3x - 6y - 5$
m) $-3a - 4b$
n) $14pqr + 8pq + 35qr$
o) $x^3 + x^2$
p) $4x^3 + 8x^2 + 4x$
q) $8a^2b + 24ab + 8ab^2$
r) $7p^2q + 7pq^2 - 7q$
s) $16x - 8y$

Q9 a) $x^2 + 4x + 3x + 12 = x^2 + 7x + 12$
b) $4x^2 + 6x + 6x + 9 = 4x^2 + 12x + 9$
c) $15x^2 + 3x + 10x + 2 = 15x^2 + 13x + 2$

Q10 a) $x^2 - 2x - 3$
b) $x^2 + 2x - 15$
c) $x^2 + 13x + 30$
d) $x^2 - 7x + 10$
e) $x^2 - 5x - 14$
f) $28 - 11x + x^2$
g) $6x - 2 + 9x^2 - 3x = 9x^2 + 3x - 2$
h) $6x^2 - 12x + 4x - 8 = 6x^2 - 8x - 8$
i) $4x^2 + x - 12x - 3 = 4x^2 - 11x - 3$
j) $4x^2 - 8xy + 2xy - 4y^2$
$= 4x^2 - 4y^2 - 6xy$
k) $12x^2 - 8xy + 24xy - 16y^2$
$= 12x^2 - 16y^2 + 16xy$
l) $9x^2 + 4y^2 + 12xy$

Q11 $15x^2 + 10x - 6x - 4 = 15x^2 + 4x - 4$

Q12 $4x^2 - 4x + 1$

Q13 a) $(4x + 6)$ m
b) $(-3x^2 + 17x - 10)$ m^2

Q14 a) $(8x + 20)$ cm
b) $40x$ cm^2
c) $40x - 12x = 28x$ cm^2

Q15 a) Perimeter — $3x + 29$ cm
Area — $\dfrac{7x + 126}{2}$ cm^2
b) Perimeter — $(8x + 4)$ cm
Area — $(3x^2 + 14x - 24)$ cm^2
c) Perimeter — $(16x - 4)$ cm
Area — $(16x^2 - 8x + 1)$ cm^2
d) Perimeter — $(10x + 4)$ cm
Area — $(6x^2 - 5x - 6)$ cm^2

Q16 a) $a^2(b + c)$
b) $a^2(5 + 13b)$
c) $a^2(2b + 3c)$
d) $a^2(a + y)$
e) $a^2(2x + 3y + 4z)$
f) $a^2(b^2 + ac^2)$

Answers: P.122 — P.126

Q17a) $4xyz(1 + 2) = 12xyz$
 b) $4xyz(2 + 3) = 20xyz$
 c) $8xyz(1 + 2x)$
 d) $4xyz^2(5xy + 4)$

Algebraic Fractions and D.O.T.S. P.122

Q1 a) $(x + 3)(x - 3)$
 b) $(y + 4)(y - 4)$
 c) $(5 + z)(5 - z)$
 d) $(6 + a)(6 - a)$
 e) $(2x + 3)(2x - 3)$
 f) $(3y + 2)(3y - 2)$
 g) $(5 + 4z)(5 - 4z)$
 h) $(1 + 6a)(1 - 6a)$
 i) $(x^2 + 6)(x^2 - 6)$
 j) $(x^2 + y^2)(x^2 - y^2)$
 k) $(1 + ab)(1 - ab)$
 l) $(10x + 12y)(10x - 12y)$

Q2 a) $(x + 2)(x - 2)$
 b) $(12 + y^2)(12 - y^2)$
 c) $(1 + 3xy)(1 - 3xy)$
 d) $(7x^2y^2 + 1)(7x^2y^2 - 1)$

Q3 a) $\frac{3xy}{z}$ **c)** $\frac{1}{3xy^2z^3}$
 b) $\frac{12b^2}{c}$ **d)** $\frac{q^3}{2r^3}$

Q4 a) $\frac{2}{xy}$ **g)** $\frac{x^3}{5}$
 b) $\frac{3a^2b}{2}$ **h)** $\frac{12a^3b^2}{5}$
 c) $\frac{y}{2x^2}$ **i)** $\frac{3a^4c^3}{2bd}$
 d) $\frac{2qr^2}{3}$ **j)** 1
 e) $\frac{8x^2z^2}{y}$ **k)** $\frac{3rt^2}{2}$
 f) $\frac{90ac^4}{b}$ **l)** $\frac{d^6}{e^3f}$

Q5 a) $2x^2y$ **g)** $\frac{12yz}{x}$
 b) a **h)** $\frac{4a^3}{b}$
 c) $\frac{3x^2}{y}$ **i)** $\frac{5a^3}{b}$
 d) $\frac{pq}{2}$ **j)** $\frac{2x}{y^2z}$
 e) $2ef$ **k)** $\frac{6}{n}$
 f) $5x^3$ **l)** $\frac{7g}{f}$

Q6 a) $x = 5$
 b) $x = 2$

Algebraic Fractions P.123

Q1 a) $\frac{3 + y}{2x}$ **g)** $\frac{3x + 2 + y}{24}$
 b) $\frac{1 + y}{x}$ **h)** $\frac{x + 2y - 2}{10}$
 c) $\frac{2xy}{z}$ **i)** $\frac{7x}{6}$
 d) $\frac{6x + 1}{3}$ **j)** $\frac{37x}{42}$
 e) $\frac{7x + 6}{x}$ **k)** $\frac{x(y + 3)}{3y}$
 f) $\frac{14x + y}{6}$ **l)** $\frac{xyz + 4x + 4z}{4y}$

Q2 a) $\frac{4x - 5y}{3}$ **g)** $\frac{z}{15}$
 b) $\frac{4x - 1}{y}$ **h)** $\frac{m(12 - n)}{3n}$
 c) $\frac{4x + 3y - 2}{2x}$ **i)** $\frac{b(14 - a)}{7a}$
 d) $\frac{2 - 2x}{x}$ **j)** $\frac{-p + 5q}{10}$
 e) $\frac{-1}{4x}$ **k)** $\frac{-3p - 4q}{4}$
 f) $\frac{4x - y}{6}$ **l)** $\frac{9x - 4y + xy}{3y}$

Q3 a) $\frac{a^2}{b^2}$ **f)** $\frac{11}{6x}$
 b) 1 **g)** $\frac{2(a^2 + b^2)}{a^2 - b^2}$
 c) $\frac{3}{2r}$ **h)** $\frac{3}{4}$
 d) $\frac{mn(pm + 1)}{p^2}$ **i)** $\frac{3x - 6y}{8}$
 e) $\frac{2x}{x^2 - y^2}$

Standard Index Form P.124-P.125

Q1 a) 35.6   **b)** 3560
 c) 0.356   **d)** 35600
 e) 8.2   **f)** 0.00082
 g) 0.82   **h)** 0.0082
 i) 1570   **j)** 0.157
 k) 157000   **l)** 15.7

Q2 a) 2.56×10^0 **b)** 2.56×10
 c) 2.56×10^{-1} **d)** 2.56×10^4
 e) 9.52×10 **f)** 9.52×10^{-2}
 g) 9.52×10^4 **h)** 9.52×10^{-4}
 i) 4.2×10^3 **j)** 4.2×10^{-3}
 k) 4.2×10 **l)** 4.2×10^2

Q3 a) 3.47×10^2 **b)** 7.3004×10
 c) 5×10^0 **d)** 9.183×10^5
 e) 1.5×10^7 **f)** 9.371×10^6
 g) 7.5×10^{-5} **h)** 5×10^{-4}
 i) 5.34×10^0 **j)** 6.2103×10^2
 k) 1.49×10^4 **l)** 3×10^{-7}

Q4 1.476×10^3

Q5 1×10^9, 1×10^{12}

Q6 9.46×10^{12}

Q7 6.9138×10^4

Q8 7.94×10^2 (m)

Q9 a) Mercury
 b) Jupiter
 c) Mercury
 d) Neptune
 e) Venus and Mercury
 f) Jupiter, Neptune and Saturn

Q10a) 2.4×10^{10}
 b) 1.6×10^6
 c) 1.8×10^5

Q11 1.04×10^{13} is greater by 5.78×10^{12}

Q12 1.3×10^{-9} is smaller by 3.07×10^{-8}

Q13a) 4.2×10^7
 b) 3.8×10^{-4}
 c) 1.0×10^7
 d) 1.12×10^{-4}
 e) 8.43×10^5
 f) 4.232×10^{-3}
 g) 1.7×10^{18}
 h) 2.83×10^{-4}
 i) 1×10^{-2}

Q14 7×10^6

Q15 6.38×10^8 cm

Q16 3.322×10^{-27} kg

Q17a) 1.8922×10^{16} m
 b) 4.7305×10^{15} m

Q18a) 510000000 km²
 b) 3.62×10^8 km²
 c) 148000000 km²

Solving Equations P.126-P.127

Q1 1

Q2 a) $x = \pm3$ **d)** $x = \pm3$
 b) $x = \pm6$ **e)** $x = \pm1$
 c) $x = \pm3$

Q3 a) $x = 5$ **d)** $x = -6$
 b) $x = 4$ **e)** $x = 5$
 c) $x = 10$ **f)** $x = 9$

Q4 a) $x = 5$ **e)** $x = 6$
 b) $x = 2$ **f)** $x = 5$
 c) $x = 8$ **g)** $x = \pm2$
 d) $x = 17$

Q5 a) 15.5 cm   **b)** 37.2 cm

Q6 £15.50

Q7 a) $x = 9$ **g)** $x = 15$
 b) $x = 2$ **h)** $x = 110$
 c) $x = 3$ **i)** $x = \pm6$
 d) $x = 3$ **j)** $x = 66$
 e) $x = 4$ **k)** $x = 700$
 f) $x = -1$ **l)** $x = 7\frac{1}{2}$

Q8 a) Joan — £x
 Kate — £$2x$
 Linda — £$(x - 232)$
 b) $4x = 2632$
 $x = 658$
 c) Kate — £1316
 Linda — £426

Answers: P.127 — P.130

Q9 a) $2x + 32$ cm
b) $12x$ cm^2
c) $x = 3.2$

Q10 a) $x = 0.75$ **d)** $x = -1$
b) $x = -1$ **e)** $x = 4$
c) $x = -6$ **f)** $x = 13$

Q11 $x = 8$

Q12 $x = 1$

Q13 8 yrs

Q14 39, 35, 8

Q15 a) $y = 22$ **f)** $x = 7$
b) $x = 8$ **g)** $x = \pm 3$
c) $z = -5$ **h)** $x = \pm 4$
d) $x = 19$ **i)** $x = \pm 7$
e) $x = 23$

Q16 $x = 1\frac{1}{2}$

Q17 a) $x = 5$ **b)** $x = 9$

Q18 $x = 1\frac{1}{2}$
AB = 5 cm
AC = 5½ cm
BC = 7½ cm

Rearranging Formulas P.128-P.129

Q1 a) $h = \dfrac{10 - g}{4}$
b) $c = 2d - 4$
c) $k = 3 + \dfrac{j}{2}$
d) $b = \dfrac{3a}{2}$
e) $g = \dfrac{8f}{3}$
f) $x = 2(y + 3)$
g) $t = 6(s - 10)$
h) $q = \dfrac{\sqrt{p}}{2}$

Q2 a) $c = \dfrac{w - 500m}{50}$
b) 132

Q3 a) i) £38.00   **ii)** £48.00
b) $c = 28 + 0.25n$
c) $n = 4(c - 28)$
d) i) 24 miles   **ii)** 88 miles
   iii) 114 miles

Q4 a) $x = \sqrt{y + 2}$
b) $x = y^2 - 3$
c) $s = 2\sqrt{r}$
d) $g = 3f - 10$
e) $z = 5 - 2w$
f) $x = \sqrt{\dfrac{3v}{h}}$
g) $a = \dfrac{v^2 - u^2}{2s}$
h) $u = \sqrt{v^2 - 2as}$

i) $g = \dfrac{4\pi^2 l}{t^2}$

Q5 a) £Jx
b) $P = T - Jx$
c) $J = \dfrac{T - P}{x}$
d) £16

Q6 a) i) £2.04   **ii)** £3.48
b) $C = (12x + 60)$ pence
c) $x = \dfrac{C - 60}{12}$
d) i) 36   **ii)** 48   **iii)** 96

Q7 a) $x = \dfrac{z}{y + 2}$
b) $x = \dfrac{b}{a - 3}$
c) $x = \dfrac{y}{4 - z}$
d) $x = \dfrac{3z + y}{y + 5}$
e) $x = \dfrac{-2}{y - z}$ or $\dfrac{2}{z - y}$
f) $x = \dfrac{2y + 3z}{2 - z}$
g) $x = \dfrac{-y - wz}{yz - 1}$ or $\dfrac{y + wz}{1 - yz}$
h) $x = -\dfrac{z}{4}$

Q8 a) $p = \dfrac{4r - 2q}{q - 3}$
b) $g = \dfrac{5 - 2e}{f + 2}$
c) $b = \dfrac{3c + 2a}{a - c}$
d) $q = \pm\sqrt{\dfrac{4}{p - r}} = \pm\dfrac{2}{\sqrt{p - r}}$
e) $a = \dfrac{2c + 4b}{4 + c - d}$
f) $x = \pm\sqrt{\dfrac{-3y}{2}}$
g) $k = \pm\sqrt{\dfrac{14}{h - 1}}$
h) $x = \left(\dfrac{4 - y}{2 - z}\right)^2$
i) $a = \dfrac{b^2}{3 + b}$
j) $m = -7n$

k) $e = \dfrac{d}{50}$
l) $y = \dfrac{x}{3x + 2}$

Q9 a) $y = \dfrac{x}{x - 1}$
b) $y = \dfrac{-3 - 2x}{x - 1}$ or $\dfrac{2x + 3}{1 - x}$
c) $y = \pm\sqrt{\dfrac{x + 1}{2x - 1}}$
d) $y = \pm\sqrt{\dfrac{1 + 2x}{3x - 2}}$

Inequalities P.130-P.131

Q1 a) $9 \le x < 13$
b) $-4 \le x < 1$
c) $x \ge -4$
d) $x < 5$
e) $x > 25$
f) $-1 < x \le 3$
g) $0 < x \le 5$
h) $x < -2$

Q2

Q3

Q4 a) $x > 3$
b) $x < 4$
c) $x \le 5$
d) $x \le 6$
e) $x \ge 7.5$
f) $x < 4$
g) $x < 7$
h) $x < 4$
i) $x \ge 3$

j) $x > 11$
k) $x < 3$
l) $x \geq -\frac{1}{2}$
m) $x \leq -2$
n) $x > 5$
o) $x < 15$
p) $x \geq -2$

Q5 Largest integer for x is 2.

Q6 $\frac{11-x}{2} < 5$, $x > 1$

Q7 $1130 \leq 32x$
36 classrooms should be used.

Q8 25 guests, $300 \geq 12x$

Q9 $x \geq 2$, $y > 1$, $x + y \leq 5$

Q10
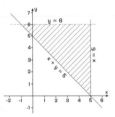

Q11
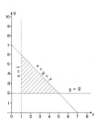

Q12
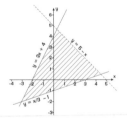

Factorising Quadratics P.132

Q1 a) $(x + 5)(x - 2)$
  $x = -5, x = 2$
b) $(x - 3)(x - 2)$
  $x = 3, x = 2$
c) $(x - 1)^2$
  $x = 1$
d) $(x - 3)(x - 1)$
  $x = 3, x = 1$
e) $(x - 5)(x + 4)$
  $x = 5, x = -4$
f) $(x + 1)(x - 5)$
  $x = -1, x = 5$
g) $(x + 7)(x - 1)$
  $x = -7, x = 1$
h) $(x + 7)^2$
  $x = -7$
i) $(x - 5)(x + 3)$
  $x = 5, x = -3$

Q2 a) $(x + 8)(x - 2)$
  $x = -8, x = 2$
b) $(x + 9)(x - 4)$
  $x = -9, x = 4$
c) $(x + 9)(x - 5)$
  $x = -9, x = 5$
d) $x(x - 5)$
  $x = 0, x = 5$
e) $x(x - 11)$
  $x = 0, x = 11$
f) $(x - 7)(x + 3)$
  $x = 7, x = -3$
g) $(x - 30)(x + 10)$
  $x = 30, x = -10$
h) $(x - 24)(x - 2)$
  $x = 24, x = 2$
i) $(x - 9)(x - 4)$
  $x = 9, x = 4$
j) $(x + 7)(x - 2)$
  $x = -7, x = 2$
k) $(x + 7)(x - 3)$
  $x = -7, x = 3$
l) $(x - 5)(x + 2)$
  $x = 5, x = -2$
m) $(x - 6)(x + 3)$
  $x = 6, x = -3$
n) $(x - 9)(x + 7)$
  $x = 9, x = -7$
o) $(x + 4)(x - 3)$
  $x = -4, x = 3$

Q3 $x = \frac{1}{2}, x = -\frac{1}{2}$

Q4 $x = 4$

Q5 a) $(x^2 - x)$ m^2
b) $x = 3$

Q6 a) $x(x + 1)$ cm^2
b) $x = 3$

Q7 a) x^2 m^2
b) $12x$ m^2
c) $x^2 + 12x - 64 = 0$
  $x = 4$

The Quadratic Formula P.133-P.134

Q1 a) 1.87, 0.13
b) 2.39, 0.28
c) 1.60, - 3.60
d) 1.16, -3.16
e) 0.53, -4.53
f) -11.92, -15.08
g) -2.05, -4.62
h) 0.84, 0.03

Q2 a) -2, -6
b) 0.67, -0.5
c) 3, -2
d) 2, 1
e) 3, 0.75
f) 3, 0
g) 0.67
h) 0, -2.67
i) 4, -0.5
j) 4, -5

k) 1, -3
l) 5, -1.33
m) 1.5, -1
n) -2.5, 1
o) 0.5, 0.33
p) 1, -3
q) 2, -6
r) 2, -4

Q3 a) 0.30, -3.30
b) 3.65, -1.65
c) 0.62, -1.62
d) -0.55, -5.45
e) -0.44, -4.56
f) 1.62, -0.62
g) 0.67, -4.00
h) -0.59, -3.41
i) 7.12, -1.12
j) 13.16, 0.84
k) 1.19, -4.19
l) 1.61, 0.53
m) 0.44, -3.44
n) 2.78, 0.72

Q4 a) 1.7, -4.7
b) -0.27, -3.73
c) 1.88, -0.88
d) 0.12, -4.12
e) 4.83, -0.83
f) 1.62, -0.62
g) 1.12, -1.79
h) -0.21, -4.79
i) 2.69, -0.19
j) 2.78, 0.72
k) 1, 0
l) 1.5, 0.50

Q5 $x^2 - 3.6x + 3.24 = 0$
  $x = 1.8$

Q6 a) $x^2 + 2.5x - 144.29 = 0$
  $x = 10.83$
b) 48.3 cm

Completing the Square P.135

Q1 a) $(x - 2)^2 - 9$
b) $(x - 1)^2$
c) $(x + \frac{1}{2})^2 + \frac{3}{4}$
d) $(x - 3)^2$
e) $(x - 3)^2 - 2$
f) $(x - 2)^2 - 4$
g) $(x + 1\frac{1}{2})^2 - 6\frac{1}{4}$
h) $(x - \frac{1}{2})^2 - 3\frac{1}{4}$
i) $(x - 5)^2$
j) $(x - 5)^2 - 25$
k) $(x + 4)^2 + 1$
l) $(x - 6)^2 - 1$

Q2 a) $x = 0.30, x = -3.30$
b) $x = 2.30, x = -1.30$
c) $x = 0.65, x = -4.65$
d) $x = 0.62, x = -1.62$
e) $x = 4.19, x = -1.19$
f) $x = 2.82, x = 0.18$
g) $x = 1.46, x = -0.46$
h) $x = 2.15, x = -0.15$

Answers: P.136 — P.139

Algebra Crossword

Trial and Improvement P.136

Q1

Guess (x)	value of x³+x	Too large or too small
2	2³+2=10	Too small
3	3³+3=30	Too large
2.6	(2.6)³+2.6=20.2	Too small
2.7	(2.7)³+2.7=22.4	Too small
2.8	(2.8)³+2.8=24.8	Too large
2.75	(2.75)³+2.75=23.5	Too small

∴ To 1 d.p the solution is x=2.8

Q2

Guess (x)	value of x³–x²+x	Too large or too small
2	2³– 2² + 2 = 6	Too small
3	3³– 3² + 3 = 21	Too large
2.1	(2.1)³ – (2.1)² + 2.1 = 6.95	Too small
2.2	(2.2)³– (2.2)² + 2.2 = 8.0	Too large
2.15	(2.15)³–(2.15)²+2.15=7.5	Too large

To 1 d.p the solution is x=2.1

Q3

Guess (x)	value of x³– x²	Too large or too small
1	1³ – 1² = 0	Too small
2	2³ – 2² = 4	Too large
1.1	(1.1)³ – (1.1)² = 0.121	Too small
1.4	(1.4)³ – (1.4)² = 0.784	Too small
1.3	(1.3)³ – (1.3)² = 0.507	Too small
1.35	(1.35)³ – (1.35)² = 0.638	Too small

∴ To 1 d.p the solution is x=1.4

Q4

Guess (x)	value of x³+ x²– 4x	Too large or too small
–3	(–3)³ + (–3)² – 4(–3) = –6	Too small
–2	(–2)³ + (–2)² – 4(–2) = 4	Too large
–2.1	(–2.1)³ + (–2.1)² –4(–2.1) = 3.549	Too large
–2.2	(–2.2)³ + (–2.2)² –4(–2.2)= 2.99	Too small
–2.15	(–2.15)³ +(–2.15)² – 4(–2.15)=3.3	Too large

∴ To 1 d.p the solution is x=–2.2

Guess (x)	value of x³+ x²– 4x	Too large or too small
–1	–1 +1 +4 = 4	Too large
0	0 + 0 – 0 = 0	Too small
–0.8	(–0.8)³ + (–0.8)² – 4(–0.8) = 3.328	Too large
–0.7	(–0.7)³ + (–0.7)² – 4(–0.7) = 2.947	Too small
–0.75	(–0.75)³ + (–0.75)² – 4(–0.75)=3.141	Too large

∴ To 1 d.p the solution is x=–0.7

Guess (x)	value of x³+ x²– 4x	Too large or too small
1	1 +1 – 4 = –2	Too small
2	8 + 4 – 8 = 4	Too large
1.9	(1.9)³ + (1.9)² –4(1.9) = 2.869	Too small
1.95	(1.95)³ + (1.95)² –4(1.95) = 3.417	Too large

∴ To 1 d.p the solution is x=1.9

Simultaneous Equations and Graphs P.137

Q1
- **a)** $x = 3$, $y = 3$
- **b)** $x = 2$, $y = 5$
- **c)** $x = 1$, $y = 2$
- **d)** $x = 1$, $y = 2$
- **e)** $x = 1$, $y = 4$
- **f)** $x = 1$, $y = 2$
- **g)** $x = 2$, $y = 3$
- **h)** $x = 2$, $y = 3$
- **i)** $x = 5$, $y = 2$
- **j)** $x = 3$, $y = 4$

Q2
- **a)** $x = 0$, $x = 1$
- **b)** $x = 2.7$, $x = –0.7$
- **c)** $x = 3.4$, $x = –2.4$
- **d)** $x = 1.6$, $x = –2.6$
- **e)** $x = 0.7$
- **f)** $x = 3.4$, $x = –2.4$
- **g)** $x = 1.6$, $x = –2.6$

Q3

x	-4	-3	-2	-1	0	1	2	3	4
-½ x²	-8	-4.5	-2	-0.5	0	-0.5	-2	-4.5	-8
+5	5	5	5	5	5	5	5	5	5
y	-3	0.5	3	4.5	5	4.5	3	0.5	-3

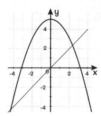

- **a)** $x = 3.2$, $x = –3.2$
- **b)** $x = 4$, $x = –4$
- **c)** $x = 2.3$, $x = –4.3$

Simultaneous Equations P.138

Q1
- **a)** $x = 4$, $y = 18$ OR $x = –3$, $y = 11$
- **b)** $x = 6$, $y = 28$ OR $x = –3$, $y = 1$
- **c)** $x = 1.5$, $y = 4.5$ OR $x = –1$, $y = 2$
- **d)** $x = –3$, $y = 33/5$ OR $x = 2$, $y = \frac{28}{5}$
- **e)** $x = –\frac{1}{4}$, $y = \frac{17}{4}$ OR $x = –3$, $y = 40$
- **f)** $x = –\frac{2}{3}$, $y = \frac{31}{3}$ OR $x = –4$, $y = 57$

Q2
- **a)** $x = 1$, $y = 2$
- **b)** $x = 0$, $y = 3$
- **c)** $x = –1½$, $y = 4$
- **d)** $x = 5$, $y = 23$ OR $x = –2$, $y = 2$
- **e)** $x = \frac{1}{3}$, $y = –\frac{29}{3}$ OR $x = 4$, $y = 38$

- **f)** $x = ½$, $y = –\frac{3}{2}$ OR $x = –2$, $y = 6$
- **g)** $x = 1$, $y = 9$
- **h)** $x = 8$, $y = –½$
- **i)** $x = –1$, $y = 3$

Q3
- **a)** $6x + 5y = 430$
      $4x + 10y = 500$
- **b)** $x = 45$, $y = 32$

Q4 Apples 17p
      Oranges 22p

Q5 pencils 11p
      pens 18p

Q6 $3y + 2x = 18$
      $y + 3x = 6$ $x = 0, y = 6$

      $4y + 5x = 7$
      $2x – 3y = 12$ $x = 3, y = –2$

      $4x – 6y = 13$
      $x + y = 2$ $x = 2½, y = –½$

Q7 $5m + 2c = 344$
      $4m + 3c = 397$ $m = 34p, c = 87p$

Q8 $x = 12$, $y = 2$

Direct and Inverse Proportion P.139-P.140

Q1 £247.80

Q2 112 hours

Q3 £96.10

Q4 **a)** $9\frac{1}{3}$ cm
      b) 30.45 km

Q5 $y = 20$

Q6 $y = 1.8$

Q7 $y = 184.8$

Q8 $x = 75$

Q9

x	2	4	6
y	5	10	15

x	3	6	9
y	4.5	9	13.5

x	27	54	81
y	5	10	15

Q10 $y = 2$

Q11 $x = 2$

Q12 a) $x = 4$
      b) $y = 6$

Q13 1.8 hrs or 1 h 48 min

Q14

x	1	2	3	4	5	6
y	48	24	16	12	9.6	8

Q15 a) 78.5 cm²
b) 3.0 cm

Q16 a) $y = 16$
b) $x = -4$

Q17 $y = 36$

Q18 a) $k = 1.6$
b) $y = 819.2$
c) $x = 11.5$

Q19

x	1	2	5	10
y	100	25	4	1

x	2	4	6	8
y	24	6	2⅔	1.5

Q20 4 kg

Q21 a) $r = 96$
b) $s = 4$
c) $r = 600$
d) $s = -8$

Q22 $y \propto \dfrac{1}{x}$

a) $y = \dfrac{200}{x}$
b) $y = 31.25$
c) $x = 12.5$

ISBN 1 84146 585 2

9 781841 465852

MCHA41